O EVANGELHO DE DEUS &
o evangelho do homem

PAUL WASHER
APRESENTAÇÃO DE AUGUSTUS NICODEMUS

O EVANGELHO DE DEUS &
o evangelho do homem

© 2015 by Paul David Washer
Publicado com autorização de: Paul Washer
e VINACC. Adaptação das palestras de Paul
David Washer no 16ª Encontro para a Consciência Cristã - Fevereiro de 2014.

1ª edição: março de 2018
4ª reimpressão: setembro de 2022

EDIÇÃO
Lege Publicações

REVISÃO
Lege Publicações

CAPA
Júlio Carvalho

DIAGRAMAÇÃO
Haas Cominicação

EDITOR
Aldo Menezes

COORDENADOR DE PRODUÇÃO
Mauro Terrengui

IMPRESSÃO E ACABAMENTO
Imprensa da Fé

As opiniões, as interpretações e os conceitos emitidos nesta obra são de responsabilidade do autor e não refletem necessariamente o ponto de vista da Hagnos.

Todos os direitos desta edição reservados à
EDITORA HAGNOS LTDA.
Av. Jacinto Júlio, 27
04815-160 — São Paulo, SP
Tel.: (11) 5668-5668

E-mail: hagnos@hagnos.com.br
Home page: www.hagnos.com.br

Editora associada à:

Dados Internacionais de Catalogação na Publicação (CIP)
Angélica Ilacqua CRB-8/7057

Washer, Paul David, 1961-

O evangelho de Deus & o evangelho do homem / Paul David Washer. — São Paulo: Hagnos, 2018.

ISBN 978-85-7742-218-0

1. Bíblia 2. Deus 3. Palavra de Deus (teologia cristã) 4. Fé 5. Salvação (teologia) I. Título II. Washer, Paul David.

17-1876   CDD 220

Índices para catálogo sistemático:
1. Bíblia: vida cristã   220

Sumário

Prefácio 9

Introdução   O evangelho de Deus e a fraqueza do homem 13

Capítulo 1   O evangelho de Paulo *versus* o evangelho da prosperidade 17

Capítulo 2   O pecado do homem e a necessidade do evangelho 29

Capítulo 3   As "más notícias" do evangelho e o grande dilema 41

Capítulo 4   A doutrina da regeneração 53

Capítulo 5   A obra de Cristo no Calvário 67

Capítulo 6   Nossa resposta ao chamado do evangelho: Arrependimento e fé 81

Capítulo 7   Um teste bíblico para saber se você está na fé 95

"O evangelho é uma bigorna que tem quebrado
muitos martelos, e ainda quebrará muitos outros."
JOÃO CALVINO

"O evangelho começa e termina com o que Deus é,
e não com o que queremos ou pensamos necessitar."
TOM HOUSTON

"Bendigo meu Senhor e mestre por ter me dado um
evangelho que posso levar a pecadores mortos, um evangelho
que está à disposição do mais vil de todos os homens."
C. H. SPURGEON

Prefácio

Era o dia da II Conferência Cristianismo e Modernidade, oferecida no Mackenzie em 2012. Eu era o Chanceler da Universidade à época. Não havíamos feito muita divulgação do evento, até porque o auditório maior do Mackenzie comportava apenas 800 pessoas.

De repente, recebi a informação que uma fila estava se formando na frente do auditório já no início da tarde. Fiquei intrigado. O evento começava às 20:00h. Não demorou muito e a segurança do campus informou que já havia cerca de mil pessoas aguardando diante do auditório. Comecei a ficar preocupado. Imagine quando fui informado que cerca de 3 mil pessoas estavam formando uma fila que já estava saindo do campus do Mackenzie e dobrando o quarteirão!

O palestrante era Paul Washer. E as pessoas tinham tomado conhecimento de que ele estaria ali através das mídias sociais. Ele já havia chegado. Fui falar com ele e expliquei a situação. Será que ele poderia falar duas vezes? Faríamos dois eventos breves, para poder receber o maior número de pessoas. Gentilmente ele aceitou, mesmo que isto implicasse em perder o voo para os

10 O evangelho de Deus & O evangelho do homem

Estados Unidos, que estava marcado para logo depois do evento. Abrimos mais dois auditórios menores com telão. E as pessoas continuavam a chegar. Muitos tiveram de voltar para casa sem ter conseguido lugar. Foi quando estive com Paul Washer pela primeira vez. Simples e manso como um cordeiro, se transformava num leão quando subia ao púlpito. Vimos isto naquela noite.

Nunca, desde a época da Reforma protestante, foi tão necessário explicar o que realmente é o evangelho. E poucos estão mais bem preparados do que Paul Washer para fazer isto.

Ao mesmo tempo em que a Igreja Cristã declina gradualmente na Europa e nos Estados Unidos, ela cresce no Sul Global, na China, na África, na Ásia e na América do Sul. Contudo, em meio a este crescimento surpreendente, cresce também um tipo de evangelho que se distancia cada vez mais daquele evangelho bíblico anunciado pelos apóstolos de Jesus Cristo e redescoberto pelos Reformadores do século 16. Este falso evangelho prega bênçãos materiais e prosperidade financeira como o centro das boas novas. Reduz a plano secundário a verdadeira necessidade do ser humano, que é reconciliação com Deus, por causa de sua desobediência e transgressão. Falsos profetas estabelecem doutrinas e práticas que são fruto do misticismo e da superstição e não do estudo sério das Escrituras. E assim conduzem o povo à perdição.

Como os falsos mestres da Galácia, os falsos apóstolos de hoje introduzem as práticas judaicas como parte do culto a Deus. Candelabros, arca da aliança, peregrinações a Israel, toque de trombeta, uso de vestes rabínicas, altares, sacrifícios pessoais, correntes de oração... num falso evangelho, que ignora as grandes doutrinas da graça.

Paul Washer nos mostra nesta obra o que é o verdadeiro evangelho em contraste com as falsificações que estão no mercado evangélico. Com sua costumeira e conhecida clareza e contundência, Washer aponta o caminho através das páginas da Escritura.

Apresentação

Bem conhecido no Brasil, especialmente através dos vídeos de suas pregações, Washer se destaca hoje como alguém que não tem meias palavras quando anuncia a verdade de Deus. É para mim uma satisfação muito grande apresentar esta obra. Minha oração é que ela seja usada por Deus na vida de muitos, da mesma forma que as pregações de seu autor têm sido usadas por Deus para impactar a vida de tantos jovens brasileiros.

Goiânia, GO, 20 de novembro de 2015
Rev. Dr. Augustus Nicodemus Gomes Lopes
Pastor da Primeira Igreja Presbiteriäna de Goiânia e
vice-presidente do Supremo Concílio da
Igreja Presbiteriana do Brasil

Introdução

O evangelho de Deus e a fraqueza do homem

Nós vivemos em uma época em que pessoas exaltam os homens de uma forma que não é bíblica. Eu tenho tido o privilégio de conhecer algumas das maiores pessoas vivas da atualidade, mas a principal lição que eu aprendi com eles foi que até os maiores homens são apenas homens, assim como você e eu. Nós precisamos ser sinceros, precisamos verdadeiramente desejar a Deus e genuinamente desejar ser santos. No entanto, no final das contas, todos nós somos apenas homens feitos do pó. Os nossos melhores esforços no nosso melhor dia só mereceriam o inferno. Somos totalmente dependentes da graça de Deus. Se existe qualquer conhecimento do ser humano ou qualquer virtude em nosso ser, isto é obra da graça de Deus.

É comum ver pessoas louvando pregadores ao redor do mundo, mas muitos ignoram que um dos grandes pregadores do mundo, hoje, é Satá. Pense um pouquinho sobre isso. Você talvez já tenha passado pela experiência de ouvir algum pregador no YouTube dizendo coisas maravilhosas e considerá-lo automaticamente um grande homem de Deus. No entanto, como você pode saber se alguém é verdadeiramente um homem de Deus apenas por um vídeo na internet? Quer descobrir de fato se alguém é cristão? Vá para a casa dele! Veja como ele ama sua esposa, veja o quão preocupado ele está com o bem-estar de seus filhos, veja como ele se comporta em sua vida privada. Veja se ele começa o dia com o Senhor Deus, se estuda sua Palavra e se ora. Você o acompanha em suas conversas particulares com outros homens e vê a totalidade de sua vida. Só assim é que você consegue ter uma ideia se, de fato, alguém é de Deus. Você o conhecerá pelos seus frutos, e pela sua maneira "quebrantada". Todos os homens pecaram, até os melhores homens. Então, o que você precisa saber é se eles são "quebrantados".

Homens são pó e, à parte da graça de Deus, os homens não são nada mais que radicalmente depravados e odiadores de Deus. E isso inclui até nós que pregamos. Se um homem verdadeiramente conhece a Deus, se realmente está em sua presença, se é de fato um homem de Deus, ele não pode suportar palmas durante sua pregação, ele não pode suportar as honras dadas a homens. A Deus somente pertence a glória. Eu conheço um Deus, o Deus das Escrituras, que, quando a glória é dada aos homens, ele mata esses homens. Eu quero viver, e eu quero honrar a Deus, e quero que todos aprendamos a honrar a Deus ao não estimar os homens. Homens são apenas homens.

Outra coisa que você precisa saber acerca do homem de Deus: só porque alguém é famoso, isso não significa que ele é o mais conhecedor de algum assunto, ou que ele é o mais piedoso e santo dos homens. Muitos outros homens, menos famosos do que eu, já esqueceram mais sobre Deus do que eu já cheguei a conhecer. Seja muito cuidadoso na maneira como você olha os homens. Os puritanos costumavam dizer o seguinte: "Para cada olhar para seu interior, você deve olhar dez vezes para Cristo". Ou seja, para cada olhar que você traz para um homem, você deve olhar dez vezes para nosso Senhor Jesus. Se você vir a Cristo do

O evangelho de Deus e a fraqueza do homem **15**

modo como ele realmente é, e você vir os homens como eles são, você vai parar de olhar tanto para os homens e vai começar a olhar apenas para Cristo.

A minha tarefa neste livro é pregar o evangelho de Jesus Cristo. Alguns de meus leitores devem estar pensando o seguinte: "Por que ele vai falar do evangelho? Essa é uma editora cristã, e se presume que apenas cristãos vão comprar esse livro. Por que ele vai ensinar sobre o evangelho? Nós já sabemos sobre isso!". Muitas pessoas hoje em dia, no cristianismo, entendem o evangelho como apenas uma introdução à nossa fé. Por exemplo, se você vai para a universidade a fim de estudar biologia, você estuda primeiro um curso introdutório antes de passar para coisas mais profundas. As pessoas hoje em dia tratam o evangelho da mesma maneira. Elas entendem que o evangelho é o curso introdutório, e então passam para coisas maiores. Isso é heresia. É uma mentira. Isso beira a blasfêmia.

Você acha realmente que a doutrina da segunda vinda de Jesus é mais profunda do que o evangelho? Você vai entender tudo sobre a segunda vinda no dia em que Jesus voltar, mas você estará no céu por eternidades de eternidades e ainda não terá nem começado a entender o evangelho. Ele possui glória inexaurível. É a maior revelação que Deus já fez aos homens e aos anjos. Se você quer ser um cristão, se você quer ser maduro na fé, você precisa aprender a apreciar o evangelho, a discernir o que é verdadeiramente valioso.

Você já ouviu falar sobre apreciação de arte, presumo. Você vai para a universidade, conhece o professor e ele tenta fazer você apreciar arte. Ele quer refinar o seu gosto, para que você consiga, de fato, apreciar as coisas finas. Eu quero fazer o mesmo neste livro. Quero que você olhe para aquilo que é mais valioso aos olhos de Deus.

Capítulo 1

O evangelho de Paulo *versus* o evangelho da prosperidade

neste primeiro capítulo, teremos uma espécie de introdução ao evangelho. Prioritariamente, gostaria de estudar um texto com vocês em cada capítulo deste livro. Agora, no entanto, quero pegar alguns textos que nos introduzem acerca da importância do evangelho.

> Não me envergonho do evangelho, porque é o poder de Deus para a salvação de todo aquele que crê: primeiro do judeu, depois do grego (Romanos 1:16).

Qual é o maior e mais fundamental problema do ser humano? O pecado! Quer saber qual é a raiz de todo problema, de toda maldade e de toda doença deste mundo? O Pecado! Remova este problema e você cura o mundo. O pecado é o maior problema.

E qual o grande resultado do pecado, em seu sentido mais fundamental? O Inferno, a eterna separação de Deus. Se você realmente entende isso, o que você vai desejar? Você vai desejar a sua melhor vida agora? Você vai desejar uma Mercedes na garagem de uma casa muito bonita? Você vai desejar uma vida confortável? Claro que não. O que você vai desejar? Salvação, libertação do pecado.

Vá até um homem que está na prisão e que nesta tarde será morto, pendurado numa árvore para ser enforcado. Ele sabe exatamente o que há de acontecer com ele. Se você vai até este homem dizendo: "Eu tenho boas notícias! Eu tenho notícias maravilhosas!". Ele então sai do seu assento, se agarra nas grades e pergunta, animado, o que é. "Você pode ser curado!", ou "Você acabou de ganhar uma Mercedes-Benz!", dizemos. Ele vai perguntar, atônito: "O quê? Do que é que você está falando?". Só há uma verdadeira boa notícia para aquele homem: "Alguém pagou pelo seu crime, você está livre para sair. Você está salvo!". Apenas isto pode ser uma boa notícia para aquele homem. E, no momento em que ele sai, no momento em que ele é libertado, a primeira coisa que ele vai fazer não é voltar para sua casa ou voltar para as coisas que ele possuía. Quando sai pela porta da prisão, ele só quer saber onde está aquele que pagou sua fiança e, quando encontrá-lo, ele vai cair de joelhos e dizer: "Eu devo a você a minha vida! Eu sou teu servo! Qualquer coisa que você pedir de mim, eu entregarei, porque a única razão para eu estar vivo é porque você pagou pelo meu crime!". O evangelho é a única mensagem que pode trazer salvação ao homem.

Eu tenho três crianças pequenas, e quando eu as discipulo em casa, eu sempre lhes digo o seguinte: "Tudo o que você pode ver vai apodrecer e terminar. Todo título que você conquistar será perdido". Toda glória que você receber dos homens irá se transformar em nada. Viva por aquilo que é eterno, viva por aquele que morreu por você. Isso é o evangelho, e o evangelho deve controlar sua vida e ser a sua vida, e ser aquilo que você mais deseja.

Há muitos pregadores hoje em dia falando sobre muitos assuntos. Eles pegam aquilo que é vil e exaltam como se fosse o mais importante. Eles pegam as coisas pequenas e as exaltam

O evangelho de Paulo versus o evangelho da prosperidade **19**

como se fossem as coisas maiores. Em contrapartida, eles estão pegando as coisas maiores e as estão escondendo do povo de Deus. Quando chego em uma igreja, eu não quero ouvir um sermão sobre prosperidade material. Isso é muito baixo para mim. Não fale de coisas tolas como estas. Eu não tenho tempo para gastar com bobagens e coisas supérfluas. Não fale comigo sobre saúde física. Eu não me importo que minha carne apodreça até o osso. Se eu gastar energia e tempo para ir até sua igreja, então fale comigo sobre as coisas grandiosas, sobre Jesus Cristo, sua glória antes de vir à terra, sua encarnação, sua vida perfeita, fale comigo acerca da cruz do calvário e como ela extinguiu a ira de Deus, fale comigo sobre como Jesus ressurgiu em poder, sobre sua exaltação e que ele está assentado à destra de Deus como meu intercessor. Fale para mim sobre Jesus e me diga quem é Deus, através da maior revelação que o próprio Deus trouxe, Jesus Cristo.

Paulo não está envergonhado do evangelho. Por que ele não tem vergonha? A sua carne tinha boas razões para se envergonhar. Para os judeus, o evangelho era uma blasfêmia; para o grego, o evangelho era insano. Para Paulo, no entanto, o evangelho era precioso. Por quê? Porque o salvou do seu pecado.

Às vezes, eu ouço pregadores dizerem coisas como: "Se você for obediente, Deus vai abençoar a sua vida. Se você for devoto, Deus vai lhe dar isso ou aquilo. Se você realmente crer nele, ele fará tal coisa por você". Isso me enoja. Imagine se eu chegasse para minha esposa, logo depois do casamento, e lhe perguntasse o motivo de ter se casado comigo, e ela respondesse: "Por sua casa". "Só por isso? Não há outras razões?", pergunto atônito, e ela responde: "Claro que sim, há seu carro!". Pergunto por outras razões, novamente, e ela responde no mesmo sentido: "Por causa do estilo de vida que você pode me dar". Isso não enoja você? Isso não quebraria o meu coração, como marido? Mas não é isso

20 O evangelho de Deus & O evangelho do homem

que muitos pregadores estão pregando hoje? Não é simplesmente errado, é nojento, porque diminui a glória de Cristo.

Imagine se eu chegasse até você e dissesse o seguinte: "Eu vou lhe dar um bilhão de dólares", e você olhasse pra mim e respondesse: "Isso é ótimo, mas eu realmente gostaria de ser feliz, e eu realmente só vou atingir a felicidade se além do um bilhão, você me der aquele par de meias sujas que estão ali no chão". Eu diria: "Você está louco? Eu estou oferecendo a você um bilhão de dólares, mas você não vai ser feliz, você não vai concordar em receber isso, se eu não acrescentar no presente este par de meias sujas?". Na verdade, é isso que está sendo pregado em muito do cristianismo hoje em dia. Eles dizem algo do tipo: "Deus deu seu Filho a você, ele morreu na cruz por você, e agora, por causa disso, você pode ter prosperidade material". Para quê acrescentar essa última parte? Por que eu me importaria com isso? Você acabou de me dizer que Deus deu seu filho, como eu poderia me importar com algo além disto? Precisamos aprender a discernir aquilo que é realmente valioso e aquilo que não tem qualquer valor.

Por que Paulo não se envergonha do evangelho? Porque o evangelho o salvou do seu pecado. Isso não basta? Eu tenho estudado por muitos e muitos anos os pregadores antigos, e sabe o que eu descobri acerca deles? Aquilo que mais os encantava e que os deixava míopes para enxergar qualquer outra coisa era a realidade de que eles eram salvos. "Eu sou salvo do pecado. Eu sou salvo do inferno", de novo e de novo, era sempre disso que eles falavam, e de como isso era realizado maravilhosamente na pessoa de Jesus Cristo. Era o tema de todo sermão deles. É o que eles falavam sempre que abriam suas bocas, e parece que hoje raramente se ouve estas coisas. O que é que você precisa para seguir a Cristo? O que mais ele tem de fazer por você? O que é que nós temos de acrescentar ao evangelho, para que você deseje o evangelho. Salvação não basta para você? A presença de Cristo

O evangelho de Paulo versus o evangelho da prosperidade   21

não é suficiente para você? Comunhão com Deus não é suficiente para você? Temos de acrescentar carros e roupas bonitas para você ficar empolgado? Paulo amava o evangelho porque era o poder de Deus para a salvação de todo aquele que crê.

Muitos pregadores hoje em dia – muitos deles bem famosos e bem conhecidos no Brasil, de tantas igrejas grandes e cheias de gente – possuem como tópico central da pregação a prosperidade financeira, o que mais Deus pode fazer pelo homem. Quando eu era mais jovem, eu olhava para estas igrejas e sentia pena pelas pessoas enganadas que estavam nelas. Mas, à medida que eu cresci no Senhor Jesus Cristo, eu percebi uma coisa: aqueles pregadores não querem Cristo, eles querem aquilo que eles mais falam a respeito – prosperidade. Mas veja o que mais você precisa compreender: as pessoas que os seguem e que os amam são exatamente a mesma coisa. Eles não querem Cristo, eles amam apenas o que Cristo pode lhes dar, porque se um verdadeiro cristão, um cristão maduro que teve seus olhos abertos para a glória de Deus, entra em uma igreja assim e ouve uma pregação desse tipo, ele vai ficar chocado com tanta coisa fútil sendo pregada. O verdadeiro cristão foi regenerado pelo Espírito Santo. É uma nova criatura. Sua nova natureza conformada à imagem de Deus dá-lhe novos desejos — desejos santos e elevados. Nada pode satisfazê-los, exceto a infinita glória de Jesus.

Alguns puritanos costumavam dizer o seguinte: quando você se torna um cristão, você se torna uma criatura mais elevada, com desejos mais elevados. E esses novos desejos são tão elevados que, se alguém lhe desse o mundo inteiro, isso não poderia satisfazê-lo. E se alguém lhe tirasse o mundo inteiro, isso não poderia destruí-lo, porque você vê o mundo inteiro como nada, se comparado com o conhecimento de Deus na face de Cristo, comparado com a salvação que você recebeu do evangelho. Eu não tenho vergonha do evangelho, porque é o poder de Deus para a salvação de todo aquele que crê.

Através da história bíblica, Deus resolveu se revelar de muitas maneiras; ele tem trazido vida através de muitas revelações. Mas, em comparação com o evangelho, todas as outras revelações são como uma sombra. Se você realmente quer conhecer a Deus, você tem de ir até o evangelho e até a pessoa do evangelho, e tem de fazer dessa pessoa o estudo da sua vida – Cristo.

Mais uma coisa que eu quero falar sobre isso. O evangelho é o poder de Deus para a salvação. Algumas pessoas pensam nisto só como justificação, de que nós somos libertos do nosso pecado através do evangelho. Eu quero que você observe uma coisa. Quando eu digo que o homem só tem um problema, isto é, o pecado, deixe-me ser mais específico. Quando falamos de pecado, ele pode ser dividido em dois grandes problemas. O primeiro é a condenação do pecado, e o outro é o poder do pecado. Através do evangelho de Jesus Cristo, ambos os problemas são eliminados. Primeiro, a condenação do pecado. No momento em que cremos no evangelho, nós somos justificados. Somos legalmente declarados retos diante de Deus, e isso resolve o problema da condenação do pecado. Mas o crente ainda tem outro problema, que é poder do pecado na vida do crente. Mas o evangelho também tem a resposta para isso.

Em primeiro lugar, quando o evangelho de Cristo Jesus é pregado e alguém crê no evangelho, o que está acontecendo? Eu digo a você. Quando o evangelho é pregado, o Espírito do Deus vivo vem e regenera o coração da pessoa, dá a ela novos desejos, abre seus olhos e, quando a pessoa vê a Jesus com seus olhos abertos, com seus novos desejos, ela vê como Cristo é precioso, e é irresistivelmente atraída até ele. Então, através do evangelho o coração é mudado e o pecado não mais encontra domínio, porque quem está em Cristo é nova criatura.

Agora, ainda temos um problema. Embora o pecado não tenha mais domínio sobre nós, ainda lutamos contra o pecado.

O evangelho de Paulo versus o evangelho da prosperidade

Novamente, o evangelho é a resposta. Quanto mais eu conheço o evangelho, mais verdades eu compreendo acerca do evangelho. Quanto mais eu vejo o Cristo do evangelho, mais eu serei conformado à sua imagem, mais eu serei liberto do peso do pecado. Olhando para Cristo, imitando a Cristo, mas isso não é uma obra somente nossa. Isso é uma obra de Deus. A Bíblia diz que quando Cristo aparecer, ele vai nos conformar a ele mesmo, perfeita e completamente. Mas também nesta vida, a Bíblia nos ensina, quanto mais contemplamos a Cristo no evangelho, mais seremos transformados por ele. O evangelho é a resposta. É o que há de mais precioso.

> Não há dúvida de que é grande o mistério da piedade: Deus foi manifestado em corpo, justificado no Espírito, visto pelos anjos, pregado entre as nações, crido no mundo, recebido na glória (1Timóteo 3:16).

Paulo começa o versículo dizendo que "não há dúvida", de que é evidente. Isso significa que o que ele vai nos dizer é uma verdade aceita em todas as igrejas, uma verdade aceita por todo cristão genuíno. Você não encontrará ninguém que seja um verdadeiro cristão que vá discordar disso aqui. O que é isso que todo mundo na cristandade concorda, se você é de fato um cristão e está dentro do cristianismo? Ele vai dizer a seguir: "Grande é o mistério da piedade". Todo mundo concorda com isso, todo mundo que verdadeiramente nasceu de novo. Mas o que é isso? Podemos entender que existe um mistério que é grande, mas que mistério é este? Justamente o evangelho. Olhe para a continuação do versículo: "Deus foi manifestado em corpo, justificado no Espírito, visto pelos anjos, pregado entre as nações, crido no mundo, recebido na glória". Paulo discorre sobre o evangelho. O que significa o mistério da piedade? O mistério que leva à verdadeira piedade, de que existe um mistério de que quando alguém o compreende, isso o leva a maior e maior piedade, mais e mais devoção a Deus, mais e mais santidade e justiça em seus pensamentos, em suas palavras e em sua prática.

E que mistério é este? O evangelho. Quanto mais você conhece sobre o evangelho, mais você compreende sobre ele. Agora, o termo compreender significa "pegar" ou "abraçar" algo. Podemos dizer o seguinte: quanto mais você abraça o evangelho, quanto mais você o agarra, quanto mais o evangelho te envolve, quanto mais o evangelho te agarra e abraça, mais piedoso e devoto você será. Jesus diz que ele não se importa com o que dizemos com a nossa boca: "Nem todo aquele que me diz: 'Senhor, Senhor', entrará no Reino dos céus, mas apenas aquele que faz a vontade de meu Pai que está nos céus" (Mateus 7:21). Então, o que sai da nossa boca não é a evidência, mas o que nós fazemos.

Se eu seguisse você secretamente aos lugares onde vai – porque normalmente quando você anda com o pastor você age diferente – e ouvisse todas as suas conversas, todas as suas orações, e observasse a sua vida, será que eu chegaria à conclusão de que o evangelho de Cristo Jesus é a coisa mais importante na sua vida, e o Jesus do evangelho é a pessoa mais importante na sua vida? Ou será que eu sairia dessa experiência com uma ideia diferente a seu respeito, vendo que você usa Deus como uma máquina de vendas, que você não deseja Cristo, que não quer conhecer mais sobre ele e simplesmente creu na mentira que Jesus pode te dar coisas? Se eu fosse até a sua igreja e ouvisse sermão após sermão, será que haveriam sermões sobre os atributos e as obras de Deus? Será que eu veria um homem perante mim que simplesmente quisesse a Deus e que considerasse tudo como refugo para desejar a Cristo, e que o desejo do seu coração é que pessoas conhecessem o evangelho, e que fossem livres da condenação e andassem em santidade e verdadeira piedade?

O evangelho de Paulo versus o evangelho da prosperidade 25

Será que eu ouviria sermões desta natureza? Será que esta seria a ênfase, ou seria apenas algo sobre prosperidade e buscar palavras de fé e encontrar a melhor vida de todas agora, e reinar como reis e rainhas neste planeta? Bastaria eu ouvir um único sermão assim, e eu derrubaria as portas na hora e sairia daquele lugar, porque um coração que busca a Cristo não estaria lá. O que você deseja? Isso vai me dizer sobre você. Quais deveriam ser seus maiores desejos? Paulo diz: "Eu quero conhecê-lo". Veja quão diferente é a vida de Paulo com a dos profetas modernos. Ele era pobre, e muitas vezes ele passava fome, e apanhava em todas as cidades nas quais ele passava. Ele era considerado a escória da sociedade. Mas ele nunca disse que queria que essa parte da vida mudasse. Ele dizia: "Eu quero é Cristo". Qual era a outra coisa que Paulo queria? Conformidade à semelhança de Cristo.

Eu dirijo um jipe 1999, já bem velho. A porta do lado direito foi amassada por um caminhão. Não tem ar condicionado. Meus filhos o chamam de "o grande tomate vermelho". Eu não quero outro carro. Não me importo com qual carro eu tenho. Não gasto tempo à noite orando por um carro. E se você me der um carro, eu vou vendê-lo e dar o dinheiro para os missionários. Eu não me importo. O que eu quero é ser como Jesus. Eu não choro porque eu não tenho coisas. Eu choro porque eu não sou como Jesus. O que você quer? Será que você realmente quer mais cristianismo na sua vida? Será que você quer a verdadeira fé cristã, o cristianismo bíblico, o cristianismo histórico, aquele cristianismo que é só sobre Jesus? Ou você só quer aquilo que aqueles profetas tolos têm dito por aí, que dizem: "Paz! Paz!", quando não há paz? Aqueles que te prometem coisas que Deus nunca prometeu. Eu não sei se você já observou isso, mas os únicos que prosperam nas igrejas deles são os que pregam. Se você cair nessa, isso é indicação do que está em seu coração. Se você os seguir, é porque você quer o que eles querem. Você não quer Jesus, porque você vê outras coisas como mais importantes. E por que isso? Porque seu coração nunca foi regenerado pelo Santo Espírito, e até agora você está preenchido de carnalidade. Você quer coisas carnais, porque você é carnal, e quando profetas carnais chegam até você, e oferecem coisas carnais, você os segue; mas você não os segue como uma ovelha segue um pastor, mas como uma ovelha sendo levada para o matadouro. Palavras duras, mas palavras verdadeiras. Jesus é preeminente no verdadeiro cristianismo. Jesus tem o primeiro lugar na verdadeira pregação.

Quando Paulo escreve aos tessalonicenses, ele diz algumas coisas acerca da sua própria vida, no capítulo 2 da epístola. Ele diz basicamente o seguinte: "Vocês receberam a Palavra, em meio a grandes aflições, e vocês receberam a Palavra com alegria". Ele continua dizendo coisas como: "Depois de sofrermos em Filipos, pregamos a vocês a mesma mensagem. E vocês sabem disso". Ele usa a palavra grega *oike*, vocês "perceberam isso", vocês "buscaram com seus próprios olhos". Algo muito importante aqui. Como é que eles sabiam que Paulo sofrera em Filipos, se eles não estavam lá quando Paulo foi surrado e lançado na prisão? Sabe como? Porque quando Paulo saiu da prisão e chegou em Tessalônica, ambos os seus pés estavam inchados. É isso que acontece, quando seu pé fica preso por correntes. Ele provavelmente estava andando curvado. Quando ele mexia sua cintura, sua coluna doía. Por quê? Porque suas costas estavam cheias de marcas sanguinolentas. Quando ele levantava sua mão, e dizia: "Jesus é Senhor!", devia dar um gemido de dor em seguida. Pense numa coisa. Sabe o que Paulo disse? Que as suas feridas eram provas de que ele era um verdadeiro servo de Deus. Suas feridas e surras eram prova disso.

O que os pregadores modernos têm dito hoje? Que a sua prosperidade é prova, que sua riqueza é prova, que sua casa, carros

O evangelho de Paulo versus o evangelho da prosperidade

e roupas são provas. Se você só estudasse a Bíblia, você se livraria de muitos destes hereges no Brasil. Eu não quero ferir ninguém, mas quero que seu coração seja constrangido com a pergunta a seguir. Os desejos do seu coração revelam a natureza dele. Você deseja a Cristo? Você deseja ser conformado à imagem dele? Você tem vergonha do evangelho? Muitos dizem que não, que não têm vergonha. Sabe porquê eles dizem isso? Porquê eles não conhecem o evangelho. Porquê o evangelho carnal e mundano tem sido pregado hoje, não há razão para sua carne ter vergonha deste evangelho. Mas o verdadeiro evangelho, esse sim. Você quer o evangelho? Você quer Cristo Jesus?

Quando você terminar este capítulo, é possível que vá fazer alguma outra coisa. Vá resolver algum problema, comer algo ou até mesmo pagar uma conta. Mas, cuidado para que esta mensagem não seja roubada do seu coração, porque ele é enganoso. Talvez, você deva sentar-se e pensar um pouco. Talvez, você precise examinar-se um pouco, ficando à sós com Deus. Você precisa acercar seu coração. Fazer menos elogios ao que leu e pensar mais naquilo que foi dito e como isso se aplica à sua vida. "Senhor, será que eu sou assim? Será que meu coração não está bem?".

Mas não quero que pense só sobre você, mas também sobre a igreja que você está frequentando e os pregadores que você está ouvindo. Estes homens têm como tema principal de sua pregação o Cristo crucificado, ser santo como Deus é santo? Se não for assim, fuja da ira vindoura. Entre numa igreja onde o pastor é um homem humilde diante de Deus, onde você vê sacrifício na vida dele e, quando ele chega até o púlpito, não abre a sua boca e diz coisas que vêm do seu coração, não ensina a partir de suas próprias experiências e não fica exibindo sua própria prosperidade. Mas quando ele chega ao púlpito, abre a sua boca e explica a Palavra do Deus vivo. Não alguma visão que ele teve na noite anterior, uma visão que na verdade ele não teve; mas que sua mente inflada

28 O evangelho de Deus & O evangelho do homem

o levou a pensar e ver coisas que Deus nunca deu a ele. Entre em uma igreja onde um homem de Deus vai abrir a palavra de Deus, e ele gastou horas e mais horas estudando aquele texto para trazer a palavra de vida a você.

Capítulo 2

O pecado do homem e a necessidade do evangelho

O que eu vou fazer neste capítulo não será agradável. Eu preciso falar do pecado do ser humano, e preciso falar da ira de Deus. Só então você conseguirá entender o evangelho de Cristo Jesus. Alguns podem dizer o seguinte: "Quer dizer que li o livro até aqui para aprender sobre pecado?". Eu vou te dar uma razão para isso. Muitos pregadores hoje em dia não estão falando sobre o pecado, e por causa disso você não consegue apreciar a graça e nem entender o temor do Senhor. A fim de viver uma vida cristã, nós precisamos entender e saber quem nós éramos antes de Jesus Cristo intervir na nossa vida.

Eu já ouvi muitos pregadores dizendo o seguinte: "Nós não falamos muito de pecado na nossa igreja porque queremos falar do amor de Deus". Eu quero dizer, com base nas Escrituras, que o Espírito Santo não está neste tipo de igreja e nem no ministério deste tipo de homem. Como eu sei disso? Por causa daquilo que Jesus disse: "Quando o Espírito vier, um de seus ministérios prioritários será de convencer o mundo do pecado". Se nossa pregação não está levando as pessoas à convicção de pecado, então o Espírito Santo não está no nosso ministério. Palavras de Jesus.

30 O evangelho de Deus & O evangelho do homem

Vamos para uma das passagens mais importantes de toda a Bíblia, Romanos 3:23-27:

> Pois todos pecaram e estão destituídos da glória de Deus, sendo justificados gratuitamente por sua graça, por meio da redenção que há em Cristo Jesus. Deus o ofereceu como sacrifício para propiciação mediante a fé, pelo seu sangue, demonstrando a sua justiça. Em sua tolerância, havia deixado impunes os pecados anteriormente cometidos; mas, no presente, demonstrou a sua justiça, a fim de ser justo e justificador daquele que tem fé em Jesus. Onde está, então, o motivo de vanglória? É excluído. Baseado em que princípio? No da obediência à lei? Não, mas no princípio da fé.

O texto começa com "pois todos pecaram". Isso atemoriza você? Isso faz você tremer? Quando você foi convertido, alguém te falou sobre o pecado, explicou a doutrina do pecado, explicou quem é Deus ao ponto de você literalmente tremer diante do seu pecado? Muitas pessoas, hoje em dia, não sabem nada sobre o pecado; os pregadores não ensinam a elas sobre o pecado, não ensinam sobre os atributos de Deus. Então, algumas pessoas interpretam a Deus como um vovô tolinho ou um papai Noel, e veem o próprio pecado como algo pequeno.

Não há forma de eu explicar a você o quão terrível é o pecado diante de um Deus santo. Permita-me tentar, pelo menos, uma ilustração. No dia da Criação, Deus ordenou às estrelas que elas fossem colocadas em lugares diferentes no espaço, e todas elas se curvaram em adoração diante de Deus. Então o Senhor falou para os planetas se moverem em círculos, e eles gritaram "amém" e obedeceram ao criador. Deus falou para as montanhas: "levantem-se!", e disse aos vales: "abaixem!", e eles se submeteram à sua voz. Deus falou para o mar e disse: "Você só vai chegar até este

O pecado do homem e a necessidade do evangelho   31

ponto e não vai passar daqui", e o mar adorou e obedeceu. Então Deus olha para você e disse: "vem", e você diz: "não!". Por esta razão, se você não está em Cristo, no dia do Juízo, toda a Criação vai se levantar e acusá-lo diante de Deus, e eles dirão "amém", quando Deus condenar a sua alma ao inferno. É assim que é o pecado, horrível como é.

Infelizmente, é muito difícil as pessoas entenderem isso hoje. Elas entendem muito pouco sobre Deus, e isso faz com que entendam muito pouco de pecado. Por qual motivo o pecado é tão horrível? Será que é porque resulta em morte? Não! Será que é porque atrapalha a sociedade? Não! Por que é tão horrível? Porque é cometido contra um Deus que é absolutamente digno, o qual é merecedor de toda adoração, louvor e obediência.

Vamos olhar para o pecado de uma perspectiva bíblica. Eu quero que você observe duas coisas acerca do pecado. O pecado é mais que uma coisa que a gente faz, é uma parte de nós. Os teólogos falam de uma depravação radical, o que significa que a corrupção moral permeia todos os aspectos do nosso ser, e antes de uma pessoa vir a Cristo, é isso o que é o homem.

"O Senhor viu que a perversidade do homem tinha aumentado na terra e que toda a inclinação dos pensamentos do seu coração era sempre e somente para o mal." – Gênesis 6:5

Olhe para a última frase. Diz que todo o desígnio do coração dos homens era somente para o mal. Isso fala do homem antes do dilúvio. No entanto, o dilúvio lavou a terra dos homens, mas as águas não puderam lavar o coração dos homens. Assim que Noé e sua família saíram da arca, o pecado começou novamente. Dentro da arca já havia pecado, que cresceu e cresceu na terra. Isso é o que é dito sobre você e eu, antes de nos achegarmos a Cristo. Se você não tem Jesus, este versículo descreve você agora.

Certa vez, eu fui pregar num determinado lugar e após ler este texto um jovem repórter veio até mim. Ele estava muito irado. Ele dizia que não acreditava no que eu estava dizendo. Ele berrava que não conseguia acreditar nas palavras da minha pregação sobre o mal estar continuamente no coração do homem. Então eu olhei para ele e disse o seguinte: "Meu senhor, eu nem cheguei a pregar sobre isso. Eu apenas li o texto bíblico". Isso é uma verdade da Bíblia. É uma verdade. A Bíblia testifica sobre isso, a história testifica sobre isso e até mesmo sua consciência, se você tem uma.

Deixe-me dar um exemplo. Se eu pudesse chegar ao seu coração neste momento e tirá-lo, e pegar todos os pensamentos que você já pensou e colocasse em um DVD, e dissesse o seguinte: "Domingo que vem, na sua igreja, ao invés de pregar, eu vou mostrar seu DVD, com cada pensamento que você já teve e todo mal que você cometeu na escuridão, toda obra eu mostrarei". O que você faria? Você cairia de joelhos e imploraria para eu não fazer isso, porque você já pensou coisas tão perversas, que não poderia compartilhar com seu melhor amigo. Se seus melhores amigos soubessem o que você já pensou deles em algum momento da vida, eles não seriam mais seus amigos.

Então, o que a Bíblia testifica é verdadeiro. E eu não estou dizendo isso porque eu quero ser malvado. Eu estou dizendo isso porque eu o amo, e a única maneira de ser curado é saber que você tem esse câncer.

O que você pensaria de mim, se eu fosse um médico e, sabendo que você tem câncer, não lhe contasse sobre isso, porque eu não queria machucá-lo. Um médico deste tipo seria considerado imoral. Poderia perder sua licença. Quanto mais um pregador que sabe do que a Bíblia fala sobre o pecado e não proclama isso; ele é imoral. Se ele não proclama essa verdade, não é porque ele ama você, mas porque ele se ama e quer que você goste dele. Isso se torna mais importante para ele que a sua alma. É assim que muitos pregadores são hoje. Por causa do temor de homens, para

O pecado do homem e a necessidade do evangelho   33

preservarem a si mesmos, vão fazer coceiras nos seus ouvidos. Porém, você vai se encontrar com eles no inferno. Você precisa saber a verdade. É isto o que é o homem. E isso é porque um pouquinho de religiosidade não conserta você. É por isso que nem a igreja católica, nem a igreja evangélica pode consertá-lo. Apenas uma obra sobrenatural de Deus pode fazer isso, através da cruz de Jesus Cristo. É assim que nós somos.

O Senhor sentiu o aroma agradável e disse a si mesmo: "Nunca mais amaldiçoarei a terra por causa do homem, pois o seu coração é inteiramente inclinado para o mau desde a infância. E nunca mais destruirei todos os seres vivos como fiz desta vez (Gênesis 8:21).

O coração do homem é mau desde a sua mocidade. O termo hebraico é bem amplo, incluindo crianças. O que isso significa? A corrupção moral do nosso coração não é algo aprendido. É algo com o que nascemos. É algo que nós somos desde o nascimento. É o resultado da queda de Adão. E uma parte disso permanece um mistério, mas a Escritura é clara: todos os homens nasceram em pecado e todos os homens nascem moralmente corruptos. Eu já ouvi músicas muito heréticas. Uma delas possuía a seguinte frase: "Se crianças nos guiassem, então o mundo estaria em paz". Quem escreveu essa música nunca teve filhos. Quem escreveu esta música não sabe nada da humanidade – e não sabe nada da Bíblia também.

Eu tenho um filho de três anos. Se eu o puser em uma sala e der a ele todos os brinquedos do mundo, pondo um a um em sua mão, até que eu encontre um brinquedo que ele não queira; eu ponho em sua mão novamente e ele o joga fora. Vou fazendo isso, e ele grita, chora e joga fora novamente. Mas eu sei de algo que pode fazer aquela criança desejar aquele brinquedo mais do que todos os demais. Sabe o que eu tenho de fazer? Trazer outra criança, colocá-la na frente dele e pôr esse brinquedo que ele não gosta na mão desta outra criança. Começa então a terceira guerra mundial.

É assim que nós somos. O que vemos naquelas crianças é a razão de toda guerra, todo assassinato e todo estupro. Está lá. À parte da graça restritiva de Deus isso permearia o mundo, e nós seríamos destruídos. Você acha que Hitler era uma anomalia? Você acha que ele era um fenômeno raro? Uma pessoa diferente da sociedade? Existe algo que você precisa entender sobre teologia. Há uma graça comum que restringe todo mundo. Se você não é como Hitler, isso é unicamente por causa da graça de Deus que refreia você. Se Deus puxasse esse freio, você faria com que Hitler parecesse um coroinha. Ele não era uma anomalia, mas um reflexo de tudo o que nós somos, a não ser que Deus refreie a maldade do homem.

Essas são verdades que ninguém quer ouvir. São verdades que pregadores não querem pregar, mas elas são necessárias. Elas são as Escrituras. Elas foram ensinadas por toda a história da igreja até o presente.

Agora, os profetas, ao invés de irem até Deus, para terem uma palavra de Deus para o povo, vão até o povo para encontrar o que eles querem ouvir. Você tem que saber disto para que seja salvo.

> Somos como o impuro — todos nós! Todos os nossos atos de justiça são como trapo imundo. Murchamos como folhas, e como o vento as nossas iniquidades nos levam para longe (Isaías 64:6).

Deus é perfeitamente justo. Perfeitamente reto. E ele não pode tolerar a injustiça. Deixe-me provar isso pra você. Quantas

O pecado do homem e a necessidade do evangelho **35**

vezes Adão e Eva pecaram antes de serem expulsos do Jardim? Só uma vez. Eles pecaram uma única vez e o universo inteiro foi lançado no caos. Toda a Criação foi trazida para debaixo do juízo de Deus. Um pecado! Agora a pergunta: quantas vezes você já pecou? Agora multiplique isso um pouco e veja o que está acontecendo. Nós não pensamos tanto em pecado, mas deveríamos pensar. O texto diz que todos nós somos como o imundo. A palavra no hebraico pode significar diferentes coisas, e você deve considerar sempre o contexto. Se refere a coisas tão feias que eu não quero nem as nomear. Mas uma das coisas que posso me referir neste texto é a lepra. Você já viu um leproso? Há diferentes estágios e fases da lepra, e o pior tipo é horrível. Se houvesse um leproso num estádio, você provavelmente sentiria seu cheiro. Se um leproso estivesse em um campo, ainda assim você sentiria o cheiro dele.

Suponha que você encontra um leproso destes e se compadece dele. Você vai ao Rio de Janeiro e compra a melhor roupa, a melhor seda que podemos encontrar e cobre o leproso de cima à baixo. No entanto, isso é só por um segundo. A corrupção do leproso vai sangrar e sujar aquela seda, e vai contaminar tudo. É por isso que você não pode ser salvo pelas suas boas obras. É por isso que suas boas obras são como trapos de imundícia. Antes de ser um cristão, você não tem boas obras, porque todas elas são permeadas pela corrupção moral do seu coração.

Romanos 3 diz que todos pecaram. A Bíblia não é uma teologia sistemática, mas a coisa mais próxima de uma, na Bíblia, é a carta aos Romanos, na qual Paulo está explicando à igreja de Roma o que é que ele crê. O livro tem 16 capítulos, sendo que os primeiros 11 lidam com teologia e doutrina, e os outros são mais práticos. Não é incrível que dos 11 capítulos sobre doutrina Paulo dedique os três primeiros para falar sobre a doutrina do pecado? Um quarto de sua sistemática. Eu acredito que, para o apóstolo Paulo, a doutrina do pecado era muito importante.

36 O evangelho de Deus & O evangelho do homem

Como está escrito: 'Não há nenhum justo, nem um sequer; não há ninguém que entenda, ninguém que busque a Deus. Todos se desviaram, tornaram-se juntamente inúteis; não há ninguém que faça o bem, não há nem um sequer' [...] Sabemos que tudo o que a lei diz, o diz àqueles que estão debaixo dela, para que toda boca se cale e todo o mundo esteja sob o juízo de Deus (Romanos 3:10-12,19).

O versículo 10 do capítulo 3 começa com "como está escrito". Paulo é um apóstolo que escreve sob a inspiração do Espírito Santo, mas ele quer provar seu ponto com tanto poder que ele traz, então, uma longa sequência de textos do Antigo Testamento.

"Não há um justo" (v. 10). Justiça significa seguir um padrão, estar de acordo com um padrão. Qual é nosso padrão? O caráter de Deus e a vontade de Deus. E, a fim de estar na presença de Deus, você tem de estar perfeitamente conformado à sua retidão e à sua justiça, sem um pecado sequer.

Às vezes, eu estou em um avião e quero testemunhar para as pessoas ali. Eu abro o Novo Testamento grego, porque eles começam a olhar. "O que é isso? Que língua é essa?". E isso me dá uma oportunidade de testemunhar. Às vezes, alguém me pergunta: "O que eu tenho que fazer para ir para o céu?". Eu olho para ela e digo: "É muito fácil. Você só precisa ser absolutamente perfeito em sua moral desde o momento em que você nasce até o momento em que você morre". Então eu continuo lendo. E eu consigo olhar para ele no canto do olho, e ele está claramente estupefato e confuso. Então, ele me pergunta: "Como é que eu vou pro céu mesmo?". E eu explico novamente: "Você só precisa ser absolutamente perfeito em sua moral desde o momento em que você nasce até o momento em que você morre". E eu volto à leitura. Ele olha, me cutuca no ombro e diz: "Pois é. Você tem um problemão, não é?". É isso que você tem de enxergar. Não é

O pecado do homem e a necessidade do evangelho 37

simplesmente ser bom comparado com outras pessoas. Você tem de ser completamente justo em comparação com Deus, sem um desvio sequer da sua lei.

Paulo diz que não há um justo sequer. Ele continua dizendo que "não há ninguém que entenda, ninguém que busque a Deus" (v. 11). Eu tenho ouvido ao redor do mundo – nos Estados Unidos e até no Brasil –, que grandes avivamentos estão acontecendo. Não, não estão. E eu vou te dizer porque não estão acontecendo. Porque a maioria das igrejas que estão repletas de 10, 20 ou 30 mil pessoas, eu ouço suas pregações. Eles não estão seguindo a Deus. O pregador não está pregando a Deus. Ele prega a Deus como se ele fosse uma máquina onde você põe uma moedinha e ele lhe dá alguma coisa. E as pessoas buscam a Deus não por causa de Deus, mas por aquilo que eles podem conseguir de Deus. Isso não é avivamento. Um avivamento é quando você deseja a Cristo somente. É assim que o Espírito de Deus verdadeiramente se move em você.

O que a Bíblia fala do pecador? Que ele não busca a Deus. Uma das características do homem carnal é que ele não busca a Deus. Ele pode buscar coisas religiosas, ele pode desejar a prosperidade que supostamente vem de Deus, mas ele não quer ter o Senhor somente porque o ama. Todo mundo quer ir para o céu. O problema é que a maioria das pessoas não quer que Deus esteja lá quando chegarem. Mas o cristão preferiria ir ao inferno com Cristo do que estar no céu sem ele. Um cristão não tem medo do inferno, ele tem medo de ser separado de seu amado. Um cristão conta tudo como refugo, como perda, para ter o conhecimento de Deus.

"Todos se desviaram, tornaram-se juntamente inúteis; não há ninguém que faça o bem, não há nem um sequer" (v. 12). Se nós terminássemos agora nosso estudo e perguntássemos: "Se você morrer, você vai pro céu?", você diria, talvez, que sim, e argumentaria: "Eu nunca matei ninguém, eu nunca prejudiquei pessoas. Eu sei que eu já cometi erros, mas eu sou bom, basicamente". Você percebe que a grande heresia do homem é que ele pensa que é bom? A única forma do cristianismo entrar na sua vida é reconhecer que você não é bom. Você não pode se salvar. Você não consegue chegar neste tipo de justiça. Não há um bom, nenhum sequer.

O versículo 19 diz: "Sabemos que tudo o que a lei diz, o diz àqueles que estão debaixo dela, para que toda boca se cale e todo o mundo esteja sob o juízo de Deus". Muita gente tem a ideia de que para ir ao céu basta guardar os dez mandamentos, como se, ao guardá-los, pudessem ser salvas. Isto é porque não entenderam o propósito da lei. A lei nunca foi dada para salvar ninguém. Ela está repleta de coisas lindas e de verdades maravilhosas. É um guia excelente para a vida. Ela é muito benéfica para a vida do cristão, se a usar apropriadamente. Mas aqui está o problema com a lei: você! Você não consegue guardá-la.

Lembra do que Moisés disse? "Aquele que vive pela lei, por ela viverá; aquele que não, irá morrer". Não existe ninguém neste mundo que viva de acordo com a lei. Mas este é o propósito da lei, condenar você. Você olha para a lei dizendo: "Não terá outros deuses diante de mim". Se você é uma pessoa egocêntrica, mas você honestamente olha para a lei, você percebe: "eu tenho outros deuses. Em toda a minha vida eu tive outros deuses. Eu tenho sido outro deus. Eu penso mais sobre carros e roupas do que eu penso sobre Deus. Eu tenho outros deuses". Ou então, você lê o mandamento de não fazer outros ídolos, e pensa: "Eu fiz várias imagens. Eu adoro uma série de coisas que eu já fiz com as minhas mãos". Ou então o mandamento de não tomar o nome de Deus em vão. Você sabia que você pode tomar o nome de Deus em vão dizendo "Aleluia!"? Dizendo isto sem pensar na profundidade desta palavra, simplesmente falando porque é uma

O pecado do homem e a necessidade do evangelho   39

resposta natural. Você percebe que o nome de Deus deve ser dito com muita reverência? Muitas pessoas usam o nome de Deus em vão. E a desobediência aos pais? Deus detesta isso. Ele comandou a morte para aqueles que faziam isso, no Antigo Testamento. Os jovens que se rebelavam contra seus pais morriam, e isso hoje é comum. E o mandamento contra cometer adultério? Jesus deixou isso muito claro. Simplesmente olhar para uma mulher com lascívia no coração é um ato de adultério.

Então, qual é o propósito da lei? É nos deixar, em todos os sentidos, sujeitos à lei. É como se nos separasse de todos os caminhos. Se vamos por um caminho para tentar nos salvar, a lei diz não. Se tentamos por outro lado, a lei diz não. Se tentamos qualquer outro caminho, a lei continua nos negando a salvação. Tentamos passar por baixo, e a lei é como um alicerce de cimento. Ela faz isto com um único propósito: para que olhemos para cima. Para que olhemos para o Deus que fez por nós aquilo que não poderíamos fazer por nós mesmos. Gritamos: "Eu sou um pecador! Eu mereço morte! Eu mereço separação de Deus lá no inferno! Eu não tenho argumentos, boas obras para me defender... Oh, Deus! Tenha misericórdia de mim, pecador!". Esse é o propósito da lei. É por isso que você precisa ensinar sobre pecado. Nós temos que ser amorosos, temos que ser repletos de graça, mas precisamos ensinar sobre o pecado.

O conhecimento do nosso pecado nos capacita a apreciar a graça. Se eu chegasse no Bill Gates e lhe oferecesse um sanduíche, ele provavelmente negaria, já que ele pode comprar um restaurante por hora. Agora, se eu tomasse este mesmo sanduíche e fosse a uma das vizinhanças mais pobres da Índia e oferecesse o mesmo sanduíche, aquele homem beijaria as minhas mãos, choraria, contaria para seus vizinhos, levaria o sanduíche inteiro pra sua esposa e contaria a ela sobre mim, que fiz essa coisa maravilhosa por ele.

40 O evangelho de Deus & O evangelho do homem

> Assim diz o Senhor: 'Não se glorie o sábio em sua sabedoria,
> nem o forte em sua força, nem o rico em sua riqueza, mas
> quem se gloriar, glorie-se nisto: em compreender-me e conhe-
> cer-me, pois eu sou o Senhor, e ajo com lealdade, com justiça e
> com retidão sobre a terra, pois é dessas coisas que me agrado',
> declara o Senhor (Jeremias 9:23,24).

Esse texto deveria estar em seu coração. Por que os homens não devem se vangloriar em sua sabedoria, e porque que os fortes não podem se gloriar em sua riqueza? Toda nossa glória deve estar em Deus, que é santo e justo. Muitos cristãos ficam muito desapontados ao lerem coisas deste tipo. Alguns podem ter pegado neste livro esperando outra coisa. Mas, antes que eu diga a você a boa notícia, eu preciso dar as más notícias para que, quando chegarmos na boa notícia, ela seja realmente boa, a melhor notícia que eclipsa todas as outras coisas. É isso o que eu desejo. Quero que você aprenda a discernir a coisa mais excelente das coisas que são ruins, as coisas santas das coisas comuns.

Capítulo 3

As "más notícias" do evangelho e o grande dilema

No capítulo anterior, estudamos sobre coisas muito duras, mas absolutamente necessárias, porque não conseguiremos apreciar a graça de Deus e compreender o que Jesus fez por nós na cruz do calvário, se não compreendermos o tamanho do nosso pecado. Vimos em Romanos 3:23, quando Paulo afirma que "todos pecaram". Neste capítulo, vamos dar uma olhada no que se segue nesta passagem.

> Pois todos pecaram e estão destituídos da glória de Deus, sendo justificados gratuitamente por sua graça, por meio da redenção que há em Cristo Jesus. Deus o ofereceu como sacrifício para propiciação mediante a fé, pelo seu sangue, demonstrando a sua justiça. Em sua tolerância, havia deixado impunes os pecados anteriormente cometidos; mas, no presente, demonstrou a sua justiça, a fim de ser justo e justificador daquele que tem fé em Jesus. Onde está, então, o motivo de vanglória? É excluído. Baseado em que princípio? No da obediência à lei? Não, mas no princípio da fé (Romanos 3:23-27).

Quando nós pregamos o evangelho, não podemos simplesmente dizer às pessoas que elas pecaram, porque vivemos em um mundo que ama o pecado e que vive promovendo o pecado. É um mundo que se orgulha de ser um mundo pecaminoso. Então, se uma pessoa concorda que é pecadora, isso não significa que ela se arrependeu. Isso não significa que ela realmente compreendeu o que o pecado significa. Para que as pessoas entendam corretamente, o Espírito de Deus precisa regenerar seus corações, iluminar suas mentes em uma obra soberana de Deus. Mas aquele Deus soberano nos usa para comunicar o evangelho e certas verdades que levam as pessoas a entender o que é o pecado. E a verdade que mais expõe o pecado como algo mau é a revelação dos atributos de Deus. É por isso que, no capítulo passado, eu destaquei a importância de estudar os atributos de Deus, porque apenas à luz da sua santidade é que podemos entender quão negra é a situação do pecado e porque é que Jesus morreu.

Já falamos o bastante sobre o pecado do homem. Precisamos gastar um tempo meditando sobre a resposta de Deus a isso. Talvez eu diga coisas que são um pouco estranhas para você, mas são bíblicas, ortodoxas e encontradas no decorrer da história da igreja. No entanto, antes de fazê-lo, deixe-me dizer o seguinte: Deus é amor. Não há pregador no céu e na terra que possa exagerar esta verdade. O amor de Deus vai mais longe do que qualquer um poderia explicar. Mas precisamos entender que Deus não é só amor. Deus é santo, Deus é justo, e todos os seus atributos estão em perfeita harmonia em sua pessoa.

Essa é a razão de Jesus Cristo ter morrido. Frequentemente eu ouço evangelistas dizerem o seguinte: "Ao invés de demonstrar sua justiça para com você, Deus demonstrou o seu amor". Isso soa muito bem, não soa? Mas é muito errado! Deus não pode negar a sua justiça para mostrar o seu amor para com você. Deus não pode esquecer de sua santidade com o propósito de salvar você. Deus

As "más notícias" do evangelho e o grande dilema   43

tem de ser justo em meio ao seu amor. Eu queria que você soubesse que Deus é amor, mas ele é santo. E porque ele é santo, ele odeia o pecado. E porque ele é justo, ele deve julgar o pecado. E isso é outra verdade que você precisa entender, a fim de entender o evangelho. Muitas vezes, os evangelistas vão dizer o seguinte: "Deus odeia o pecado, mas ama o pecador". Existe algo de verdade nisto, mas também é uma frase muito perigosa, porque pode levar a interpretações errôneas. Vamos ver o que o que a Bíblia diz: "Tu não és um Deus que tenha prazer na injustiça; contigo o mal não pode habitar. Os arrogantes não são aceitos na tua presença; odeias todos os que praticam o mal" (Salmos 5:4-5). Se quiser, você pode abrir na sua própria Bíblia. Diz aí que Deus ama o pecador, mas odeia o pecado? Diz, na verdade, que Deus abomina, odeia o pecador também. É o que está escrito. É o que está no texto. Algumas traduções usam o termo "aborrece", que é tão forte quanto odiar. Deus odeia e abomina o pecador. Deus demonstrou sua ira e seu ódio ao pecador.

Você pode me dizer: "Ah, irmão Paul, mas e João 3:16, que diz que Deus amou o mundo, e o mundo está cheio de pecadores". Minha resposta a isso é que João 3:16 está na Bíblia, e é verdade, da mesma forma que o Salmo 5 também está na Bíblia e também é verdade. Você tem de entender como é que estas coisas combinam. Como é que a Bíblia pode dizer que Deus ama pecadores e também dizer que a ira e o ódio de Deus se manifestam a pecadores. É isso que eu quero dizer, quando digo que temos de estudar as Escrituras, e não simplesmente olhar um lado de Deus. Sabe o que os falsos profetas fazem? O que eles dizem pode até ser verdadeiro. O problema é que eles não lhe contam toda a verdade. Eles só falam que Deus é amor, Deus é amor, Deus é amor, e isso é verdadeiro. Mas Deus também é Santo, Santo, Santo. É verdade que Deus salva pecadores, mas também é verdade que ele os condena ao inferno.

O ódio de Deus não é como o nosso. Ele é puro, santo e justo. Alguém me disse certa vez: "Deus não pode odiar, porque Deus é amor". Minha resposta foi justamente que Deus é amor, e que por isso ele precisa odiar. Se você ama a nação judaica, você não pode ser neutro acerca do Holocausto. Você deve odiar isto com uma paixão efervescente. Se você verdadeiramente ama os africanos, você deve odiar o tráfico de escravos. Se você ama crianças, você deve odiar o aborto. Deus ama justiça, ele tem deleite naquilo que é reto, e ele tem deleite naqueles que praticam o que é justo, mas o seu ódio, a sua ira, é contra o pecador.

"Irmão Paul, como isso funciona?", você pode me perguntar. Eu explicaria da seguinte forma: se você rejeitou a Cristo constantemente na sua vida, ou possui um tipo bem superficial de cristianismo, onde você crê em Jesus mas vive como o diabo. E você acha que tudo está bem. Quero que você saiba que a ira de Deus está queimando contra você neste momento. A santa ira dele contra a injustiça ferve contra você. Mas eis o que acontece. Com uma mão, a misericórdia de Deus segura sua igreja, e com a outra mão a misericórdia de Deus o chama para vir até ele. Mas não se engane. Um dia estas duas mãos serão recolhidas e não restará mais nada a você, a não ser a santa ira de Deus contra o mal que você pratica. É isso que esse texto significa.

A surpresa nisto é que ele não deveria segurar a sua ira. Ele deveria derramá-la sobre nós agora. Mas o fato de ele restringi-la é uma demonstração de seu amor para com o pecador. Muitos já ouviram o evangelho repetidamente ao longo da vida e, mesmo assim, se recusam a ouvir a Deus, não encontram arrependimento, não confiam em Cristo. Talvez, tenham feito aquela oração de conversão e depois mais nada. Pensam que são salvos quando toda a vida deles prova o contrário. A ira de Deus é real. E se eu amo você, eu preciso lhe dizer isto.

As "más notícias" do evangelho e o grande dilema 45

Se eu ganhasse um dólar para cada vez que eu ouvi evangelistas dizerem o seguinte, eu seria um milionário: "A primeira coisa que eu quero dizer é que Deus não está irado com você". Deixa eu dizer-lhe algo: a primeira coisa é que, se você está fora de Jesus Cristo, Deus está irado com você. Eu ouço evangelistas dizendo que Deus não é um Deus irado, mas ele é um Deus irado sim, e as Escrituras mostram isso.

> Deus é um juiz justo, um Deus que manifesta cada dia o seu furor (Salmos 7:11).

Veja o que a Bíblia diz. Deus sente indignação todos os dias. Você diz que Deus é um Deus de amor, e você tem toda a razão. E é por isso que ele fica indignado! Você pode ficar chateado ao ouvir estas coisas, pensando que Deus não tem o direito de ser assim. No entanto, você acredita que tem o direito de ser assim. Suponha que em uma manhã você tenha comprado um dos jornais de sua cidade, e você lê na primeira página que uma garotinha que foi perdida cinco anos atrás, quando tinha cinco anos de idade, foi finalmente encontrada morta, torturada. Ela havia sido trancada no porão de um homem velho, torturada todos os dias de sua vida, até que sua vida finalmente expirou. Agora me diga: quando você lê uma coisa destas, você fica neutro, sem se irar? Se sim, você é tão monstruoso quanto aquele homem. Você não fica neutro. Você fica cheio de justa indignação. "Algo precisa ser feito!", você diz. Se não se sentisse assim, você não seria uma pessoa correta.

Olhe para Deus. Ele não pode tolerar um pecado sequer, e ele vê pecados todos os dias. Muitos assassinatos, inúmeros estupros, incontáveis abusos e inumeráveis mentiras. Constante atrito entre marido, mulher e amigos. Ele vê a corrupção do seu coração. Quando uma garota passa na sua frente, uma garota que ele fez, que pertence a ele, que ele ama e você olha para ela como se ela fosse objeto de sua própria lascívia, a indignação de Deus ferve. Se você morrer sem Jesus Cristo, você permanecerá diante dele e derreterá diante de seu juízo, como se fosse feito de cera diante de uma fornalha, e ele não vai poupá-lo.

Eu tenho uma filhinha de seis anos de idade. Ela é a cara da mãe dela. Ela é muito preciosa para mim. Você tem que sempre tratá-la muito bem, porque não quer a minha ira fervendo contra você. Todo e qualquer pai descente poderia dizer a mesma coisa. Esse é o mundo de Deus, esse é o povo de Deus. Nós fomos feitos para a glória dele, e a única coisa que fazemos consistentemente é ofender a sua glória e quebrar todas as suas leis.

> Se o homem não se arrepende, Deus afia a sua espada, arma o seu arco e o aponta, prepara as suas armas mortais e faz de suas setas flechas flamejantes (Salmos 7:12,13).

Este é um texto pouco lido nas igrejas. Imagine por um estante um Deus onipotente sentado no trono olhando para a sua rebelião contra ele. Você rejeitou a Cristo. Você anda nos seus próprios caminhos, e ele olha e observa cada pensamento do seu coração. Enquanto ele senta lá, está afiando sua espada, pensando em você, de tal forma que se você não se arrepender, ele vai afiando mais, até que seja o tempo de usá-la. Há um momento na vida de todos em que o sino toca, e se você está rejeitando a Deus constantemente, aí acabou. Não há mais nada para você além da espada afiada de Deus.

O texto diz que ele já armou seu arco e já apontou sua flecha. Eu gosto muito de caçar, então, eu faço arcos, do tipo que são muito difíceis de se puxar a corda. Se você conseguir envergar um dos meus arcos e mirar num veado bem grande, talvez aquela flecha possa ultrapassar o corpo daquele veado e continuar

As "más notícias" do evangelho e o grande dilema

seguindo. Agora, este é o arco de um homem. Este texto fala que Deus puxou o seu arco.

Quando você está caçando, você precisa de um tempo perfeito. Se o animal passar na sua frente e você puxar seu arco, só consegue segurá-lo por alguns segundos, porque sua mão começa a tremer. O peso é muito grande. É assim que os puritanos descreviam o juízo de Deus. Se você continuar sua rebelião contra ele, ele já tem seu arco envergado e cada momento vai passando, sua mão trepida. A qualquer momento ele vai soltar. E quando ele soltar, acabou.

Se você já estudou os exércitos dos romanos, você sabe que eles não tinham medo de nada, exceto uma coisa. É dito nos anais da história que os soldados do exército mais disciplinado, no momento em que viam os dardos inflamados chegando em sua direção, simplesmente se dispersavam. A ideia é que não se brinca com Deus. Ele é amor, mas não abuse do seu amor, porque ele é santo e justo, e ele vai julgar o mundo. E vai julgar o mundo de tal forma que os maiores homens desta terra vão pedir para que os montes caiam sobre eles para escondê-los da ira do cordeiro.

Romanos 3:23 diz que "todos pecaram e estão destituídos da glória de Deus", mas o cristão vive em um contexto diferente. O cristão permanece diante de Deus justificado. "Justificação" é um termo jurídico. Significa que o cristão está diante de Deus com uma declaração jurídica feita a partir do trono de Deus: o Senhor considera esse cristão como completamente inocente diante dele, e o trata como sendo correto com ele. Ou seja, a justificação é a declaração jurídica de Deus de que o cristão está correto perante ele, perfeita e completamente justo, e ele o trata deste jeito.

Eu estou para compartilhar com você o que eu acredito ser a verdade mais importante que eu poderia registrar em todo este livro. Eu acredito que é a maior verdade de todas as Escrituras.

Eu creio que a Bíblia inteira foi escrita sobre essa verdade. E acho que é a única maneira de entender a cruz corretamente. Isso vem no formato de um problema, de um dilema. Um dilema é um problema que aparentemente não tem solução adequada. Eis o problema. Se Deus é justo, ele não pode justificar você. Se Deus é justo, ele não pode perdoar você. Eu quero que você continue lendo, porque isso explica a cruz. Toda a pergunta, em toda a Bíblia, é a seguinte: se Deus é verdadeiramente santo e justo, ele tem de julgar os ímpios, cada um deles sem exceção, por cada pecado que cometeram. Se ele não fizer isso, se ele os justificar, então ele não é mais justo. Este é o grande problema em toda a Escritura.

Vamos supor que você vá para sua casa e encontre toda a sua família assassinada no chão, e o assassino está lá diante de você com as mãos ainda sangrando. Você o pega, lança-o no chão e o amarra. Você chama a polícia, e ela o prende. Então, chega o momento de ele ficar diante do juiz. Toda a cidade está no tribunal. Eles querem saber o que é que o juiz vai fazer. Então o juiz olha para o homem que é culpado de ter matado toda a sua família e diz: "Eu sou um juiz muito amoroso, eu sou tardio em irar-me e sou cheio de compaixão. Portanto, eu te perdoo. Você está livre para ir". Qual seria sua resposta? Você diria: "Ó, que coisa maravilhosa! Que amor magnífico!"? Você não faria isso. Você diria: "Aquele juiz é mais corrupto que o criminoso que ele acabou de libertar!". Um juiz precisa fazer o que é justo. Ele precisa agir com perfeita justiça.

Então, se Deus é justo, como ele pode perdoar você e ainda ser justo? A justiça exige a sua morte, e se Deus simplesmente perdoa o seu pecado, ele não é justo. Romanos 3:23 diz que todos pecaram. O versículo seguinte diz que Deus justifica os pecadores. No entanto, Provérbios 17:15 diz: "Absolver o ímpio e condenar o justo são coisas que o Senhor odeia". Qualquer um que justifique o ímpio é uma abominação ao Senhor. É uma palavra muito dura. Deus odeia todos os que justificam os ímpios. No entanto a

As "más notícias" do evangelho e o grande dilema   49

mensagem cristã é justamente a de que Deus justifica o ímpio. Você vê o problema? A mesma questão surge na revelação do Senhor a Moisés:

> Então o Senhor desceu na nuvem, permaneceu ali com ele e proclamou o seu nome: o Senhor. E passou diante de Moisés, proclamando: "Senhor, Senhor, Deus compassivo e misericordioso, paciente, cheio de amor e de fidelidade, que mantém o seu amor a milhares e perdoa a maldade, a rebelião e o pecado. Contudo, não deixa de punir o culpado; castiga os filhos e os netos pelo pecado de seus pais, até a terceira e a quarta gerações" (Êxodo 34:5-7).

Moisés responde à revelação de Deus proclamando sua misericórdia, sua compassividade, sua paciência, amor e fidelidade. Não é ótimo sabermos que temos um Deus assim? O texto diz que ele perdoa a iniquidade, a transgressão e o pecado. Na literatura hebraica, colocar termos sinônimos seguidamente tem a função de enfatizar uma verdade central. Aqui, é a de que Deus perdoa todos os tipos de pecado. Isso é incrivelmente maravilhoso. Não importa o que você fez ou qual crime você cometeu, o Deus da Bíblia pode perdoar tudo. Essa é a boa nova do evangelho. No entanto, aí vem o problema. O texto diz que: "Contudo, não deixa de punir o culpado".

Você vê o problema? Por um lado, Deus está dizendo que perdoa todo tipo de pecado; do outro lado, ele diz que vai punir cada um que cometeu qualquer tipo de pecado. Você vê o dilema? De um lado ele diz que perdoa, quando do outro lado ele diz que vai punir cada pecado que for cometido neste planeta.

Veja os salmos: "Como é feliz aquele que tem suas transgressões perdoadas e seus pecados apagados!" (Salmos 32:1). Deus apaga e cobre pecados. O que você fala de um juiz que cobre pecados? Não o chamaria de corrupto, que varre a poeira para debaixo do tapete? Veja o que Davi está dizendo. Ele diz que este homem é abençoado por ter um Deus que cobre seu pecado e que não imputa na pessoa a iniquidade. Você comete a iniquidade, mas ele considera que você não cometeu e cobre tudo isso. A pergunta é a seguinte: "Como Deus pode ser justo e fazer isso?". Você vê o problema?

Encontramos o mesmo em Miqueias 7:18: "Quem é comparável a ti, ó Deus, que perdoas o pecado e esqueces a transgressão do remanescente da sua herança? Tu que não permaneces irado para sempre, mas tens prazer em mostrar amor". Como Deus pode fazer isso? Onde está a sua justiça se é isto que ele está fazendo? O versículo 19 continua: "De novo terás compaixão de nós; pisarás as nossas maldades e atirarás todos os nossos pecados nas profundezas do mar". Talvez você esteja pensando que aqui está a resposta, de que Deus pode perdoar porque ele pisa na nossa iniquidade e pega nosso pecado e o lança no mar. Não, isso é só metade. Ele pode nos perdoar porque ele pisou os nossos pecados e os lançou no mar, mas precisamos entender como isso acontece.

Os cristãos cantam: "Deus pôs meus pecados debaixo de seus pés, aleluia! Ele jogou meu pecado no mar do esquecimento, aleluia!", mas eles não entendem o que estão dizendo. Deus realmente fez estas coisas. Ele pisou no seu pecado, e o esmagou até virar pó. Ele moeu cada um de seus pecados, mas antes de fazer isso, ele colocou seus pecados sobre seu Filho. Jesus carregou o seu pecado, e toda a ira de Deus que deveria ser derramada em você, Deus derramou sobre o seu Filho, moendo-o debaixo de sua ira. Deus lançou seus pecados no mar, mas você tem que entender que ele os colocou sobre seu Filho, e ele pegou seu Filho e o lançou no mar de sua ira. Ele sofreu por cada pecado que você cometeu. Como Deus pode ser justo e ainda perdoar o pecador? Porque Deus se fez homem, viveu a vida perfeita e, naquela cruz, carregou a nossa sujeira, tomou o nosso pecado sobre si e toda a

As "más notícias" do evangelho e o grande dilema   51

ira santa de Deus contra você, tudo o que deveria ser derramado sobre seu povo, foi derramado sobre seu filho. Ele pagou por tudo, porque ele nos condenou, ele assumiu o nosso lugar, ele morreu por nós. É isso que você tem que entender. Há uma relação entre Jonas e Jesus. Jonas estava no fundo do barco, e Jesus estava no fundo da terra. Uma grande tempestade atingiu o barco de Jonas, e uma grande tempestade atingiu a Jesus Cristo. Quando isso aconteceu, os discípulos que estavam com Jesus talvez estivessem pensando: "Todos os nossos líderes dizem que ele é um falso profeta ou um profeta desobediente, e agora ele está em um barco como Jonas, e o mar está nos chacoalhando, e eles começaram a duvidar". Em Jonas, o mar estava turbulento e iria engolir todos os homens naquele barco. Então, o que eles fizeram? Eles pegaram o culpado Jonas e o lançaram no mar e a ira de Deus acalmou; mas com Jesus, ele sai e ordena ao mar que se acalme. Naquela cruz, então, tendo Jesus Cristo tomado nossos pecados sobre si e olhando para o turbulento mar da ira de Deus sobre nós, embora não tenha pecado, ele se fez pecado por nós, e lançou-se sobre aquela ira e a aplacou.

Existem muitas pessoas que dizem o mesmo que estou dizendo, mas cometem um erro terrível. Eles dizem que Deus não pode simplesmente perdoar, porque há um princípio de justiça que até Deus tem que obedecer. Isso não é verdade. Deus não pode simplesmente perdoar porque há um princípio de justiça sobre ele, mas por causa da justiça da sua própria pessoa. Seus atributos existem em perfeita harmonia. Ele não pode demonstrar amor ao custo da sua justiça. A justiça de Deus exigia a sua morte. A fim de demonstrar amor para com você, ele tinha que satisfazer as exigências de sua própria justiça. Na cruz, ele carregou os seus pecados, foi moído debaixo da ira de Deus que, naquele momento, foi perfeitamente satisfeita. Por cada pecado que você cometeu, para cada pecado que você comete hoje, para cada pecado que você ainda vai cometer, para o povo de Deus todos os pecados foram pagos. Isso é porque, na cruz, Jesus Cristo falou 'está consumado'. Isso significa que foi pago por completo. A justiça está satisfeita e agora Deus pode mostrar a sua misericórdia para com você, ele pode declará-lo como justo, pode dar a vida eterna para você. Esse é o evangelho, e sabemos que é verdadeiro porque no terceiro dia Deus o ressuscitou dentre os mortos e hoje Jesus está à destra de Deus, e ele é a prova de que pecadores podem ser salvos.

Deixe-me fazer uma pergunta para você. Por que você está demorando? Por que você permanece exposto à ira de Deus? Arrependa-se do seu pecado agora. Corra para Cristo. Confie em Cristo. Peça para Cristo socorrê-lo, porque ele é poderoso para salvar. Você precisa dizer: "Senhor, eu fiz tanta coisa feia!", mas o evangelho é maior do que isso! Agora, se você é cristão, porque desejaria qualquer outra coisa além de Jesus? Porque iria a igrejas que falam mais sobre prosperidade material, casas, carros e roupas do que de Jesus. Essa mensagem que eu estou trazendo a você, ainda que eu não seja um grande pregador, existem pessoas que poderiam ouvi-la 24 horas por dia e não se cansariam dela, porque nasceram novamente, e essa mensagem é a verdade e elas não querem ouvir nada menos que isso. Elas querem Jesus. Você é assim? Ou você é uma pessoa que quer outras coisas? Se você é um pregador, o que você está pregando? Certa vez, eu ouvi um pregador no YouTube, que gritava repetidamente: "Mostre-me o dinheiro! Abra as portas do céu e faça o teu povo prosperar!". Isso é blasfêmia. Ele é um falso profeta, porque os verdadeiros homens de Deus contemplaram a Jesus Cristo, e tudo o que eles conseguem dizer é: "Mostre-me Jesus! Eu quero Jesus!". Não há ninguém como Jesus. Não há nome que se compare ao de Jesus.

Capítulo 4

A doutrina da regeneração

Vamos voltar para Romanos capítulo 3. Até agora, nós apenas estabelecemos um fundamento para que possamos compreender este texto. Agora vamos olhar para o texto propriamente dito.

> Pois todos pecaram e estão destituídos da glória de Deus, sendo justificados gratuitamente por sua graça, por meio da redenção que há em Cristo Jesus. Deus o ofereceu como sacrifício para propiciação mediante a fé, pelo seu sangue, demonstrando a sua justiça. Em sua tolerância, havia deixado impunes os pecados anteriormente cometidos; mas, no presente, demonstrou a sua justiça, a fim de ser justo e justificador daquele que tem fé em Jesus. Onde está, então, o motivo de vanglória? É excluído. Baseado em que princípio? No da obediência à lei? Não, mas no princípio da fé (Romanos 3:23-27).

"Pois todos pecaram". A palavra em grego é *harmatano*. Significa errar o alvo, ou ficar aquém de um objetivo. Suponha que haja um alvo na outra extremidade do púlpito enquanto eu prego, e eu pego um arco e flecha e tento acertar, mas erro o centro do alvo. Isso é ficar aquém. Isso é desviar-se. E isso é o que todos nós fizemos. Mas não pense que é simplesmente um erro de nossa parte. Todo pecado é uma rebeldia para com Deus, manifesta hostilidade para com Deus e é digno do juízo de Deus.

"Todos pecaram e estão destituídos da glória de Deus". Na maior parte da pregação contemporânea, este versículo é interpretado da seguinte forma: "Deus tem um plano maravilhoso para a sua vida, e por causa do seu pecado você não está atingindo esse plano maravilhoso de Deus para sua vida". Essa ideia pode até estar no texto, mas é muito pequena. Não é o sentido principal do que Paulo está dizendo aqui. Não tem a ver com você, tem a ver com Deus. O que isso significa: "Pois todos pecaram e carecem da glória de Deus"? "[...] porque, tendo conhecido a Deus, não o glorificaram como Deus, nem lhe renderam graças, mas os seus pensamentos tornaram-se fúteis e os seus corações insensatos se obscureceram. Dizendo-se sábios, tornaram-se loucos e trocaram a glória do Deus imortal por imagens feitas segundo a semelhança do homem mortal" (Romanos 1:21-23). Isso é você! E é isso o que significa dizer que carecemos da glória de Deus. Mesmo conhecendo a Deus, você não lhe prestou glória nem lhe deu graças, mas você exaltou a si mesmo acima dele e adorou a si próprio, ao invés de Deus.

Muitos já ouviram vários sermões sobre Romanos 3:23, mas nunca ouviram algo deste tipo. Temos que tomar muito cuidado com interpretações contemporâneas que não se atentam ao contexto.

Como você sabe, Romanos 1 continua falando de pecados terríveis perante o Senhor. Fala de toda a ordem criada por Deus sendo pervertida e distorcida. Paulo foca no pecado da homossexualidade. E aí ele continua no versículo 28, e diz novamente:

A doutrina da regeneração **55**

"[...] visto que desprezaram o conhecimento de Deus, ele os entregou a uma disposição mental reprovável, para praticarem o que não deviam". E dos versículos 29 ao 31 ele começa a descrever alguns destes pecados. Perceba a importância disso. No ocidente, na sua cultura e na minha cultura, estas coisas prevalecem. Todos estes pecados são encontrados em abundância e crescem e se multiplicam a cada dia. Mas é aqui que as más interpretações aparecem. As pessoas vêm estes pecados todos em sua cultura e pensam que, por causa disso, Deus vai nos julgar um dia. Isso não é verdade, e não é o que Romanos está ensinando. Se você vê estes pecados na sua cultura, é porque Deus já está julgando a sua cultura, por causa do grande e principal pecado que sua cultura já cometeu. E qual é ele? Embora conhecendo a Deus, não o honrar nem lhe dar graças. Qual a resposta de Deus? Ele os julga. Como ele julga a cultura? Ele a entrega ao seu próprio coração mau. Qual o resultado, ao final? Pessoas torcidas, pervertidas e violentas. É isso o que ele quer dizer, quando fala que eles carecem da glória de Deus.

Em meio ao pecado da humanidade, Deus está fazendo uma obra de redenção. Ele está chamando um povo para si. Mas como este povo pode ser justificado perante o Senhor? Paulo já falou que não é por obras de homens, e que precisa ser por meio de uma obra de Deus. É o que ele diz em Romanos 3:24. Paulo está falando do cristão, do verdadeiro cristão. É muito importante entendermos isso. Há muitos que se chamam cristãos hoje em dia, que não são verdadeiros cristãos. Muitos que se chamam evangélicos não têm nada a ver com o evangelho. Como é que você sabe se é um cristão? "[...] pelos seus frutos vocês os reconhecerão" (Mateus 7:20). Salvação é pela fé somente, mas aqueles que realmente creram foram regenerados pelo Espírito Santo. Eles se tornaram novas criaturas, com novas afeições que os movem a viver de uma maneira piedosa.

Paulo continua dizendo que o cristão foi justificado. Esse é um termo legal. No momento em que uma pessoa crê em Cristo, Deus legalmente o declara justo, e o trata como justo perante ele. Nós, agora, somos justificados perante ele. Você entende isso? Que nós somos tratados e declarados absolutamente justos perante Deus? Todos os pecados pagos, e a disposição e o favor de Deus agora são direcionados a nós. Ele nos ama imutavelmente. O amor dele para conosco não é fundamentado em nossas obras, mas está sobre a obra consumada de Cristo.

Voltemos ao relacionamento entre a fé, nossa posição em Cristo para com Deus, e a mudança de vida que evidencia isso. Quero usar a ilustração de um homem que tem me mentoreado ao longo dos anos, Charles Leiter. Ao fim de seus quatros anos de faculdade de matemática ou física, você precisa fazer uma última disciplina, a disciplina mais difícil da universidade. Estamos falando de matemática e física do mais alto nível. Só há dez alunos na classe. Cinco são da física e amam física, mas estão aterrorizados. Há cinco que estão se formando em matemática, que odeiam física, mas precisam cursar aquela disciplina. O professor entra na sala e atemoriza os alunos. Ele diz: "Dez de vocês chegaram até aqui, e isso significa que vocês são alunos muito bons, que trabalharam muito bem nos últimos quatro anos. Eis o que vamos fazer agora. Vocês todos tiraram dez". Então, um dos que estão se formando em física pergunta: "O quê?". E o professor repete: "Você ganhou um dez. A partir de agora, todos vocês possuem dez". Os alunos da física ficam cheios de júbilo: "Quer dizer que nós tiramos dez e que tudo o que precisamos fazer é aproveitar a matéria? Podemos realmente aprender sem o medo de falhar? Podemos estudar essa matéria tão importante sem qualquer medo de falhar?". E o professor responde: "Sim". Eles estão tão jubilosos, pegam seus livros-texto e seguram próximo de seu coração. Eles saem da classe dizendo uns aos outros: "Vamos lá estudar!".

A doutrina da regeneração

Então, o pessoal da matemática diz o seguinte: "Você quer dizer que nós temos um dez, não importa o que nós fizermos?". O professor responde afirmativamente. Eles então ficam também alegres. Eles se levantam, e à medida que eles saem da classe, pegam seus livros-texto e jogam no lixo.

Essa é a diferença entre verdadeiros convertidos e falsos convertidos. A pessoa que verdadeiramente nasceu novamente pergunta: "É tudo pela graça? Minha posição perante Deus foi consertada, não importa o que eu faça, ele vai me amar? Se esse é o caso, eu quero servi-lo mais, conhecê-lo mais e ser como ele!". Mas, os membros carnais de igrejas evangélicas dirão: "Você quer dizer que é de graça? Que não é baseado em obras? Que bom, então vamos pecar para que a graça seja mais abundante".

Essa é a diferença entre os que são verdadeiramente justificados e os que ainda estão mortos.

O texto continua dizendo que somos justificados gratuitamente por sua graça (v. 24). Isso é redundante. É quase como se Paulo estivesse dizendo "presente do presente". A frase "gratuitamente" vem da palavra grega *doream*. Essa palavra é usada em outro contexto do Novo Testamento, no evangelho de João, sobre uma profecia sobre o Messias, onde diz: "Eles me odiaram sem motivo". Então, o Messias está dizendo que foi odiado sem uma causa. Ele nunca deu a qualquer um motivo para ódio. Jesus nunca pecou, nunca deu a qualquer um motivo justo de ódio. É a mesma palavra usada aqui em Romanos. Deus nos justificou, mesmo que nós nunca tenhamos dado qualquer razão para ele nos justificar. Nos só lhe demos razão para nos condenar. Mas, ao invés de nos condenar, ele nos justificou por causa de Cristo. Você percebe isso? Nada podemos alegar.

Um cristão é o único que pode dizer que vai para o céu sem qualquer vanglória. Essa é a grande diferença entre o cristianismo e todas as outras religiões do mundo. Se você, em algum momento, tiver um curso sobre religiões comparadas, vai perceber que pode ser muito complexo. Há muitas religiões, mas se você fizer esse curso um dia, eu tenho que ser seu professor. Por quê? Porque eu torno este curso muito simples. Porque na verdade, só existem duas religiões no mundo. Religiões de obras e uma religião de graça. O verdadeiro cristianismo é uma religião de graça.

Deixe-me dar um exemplo. Você vai até um judeu ortodoxo e faz uma pergunta: "Para onde você vai depois da morte?". Talvez o judeu responda: "Eu vou para o paraíso". Aí você pergunta o motivo, e ele diz que ama a Torá, que ama a lei de Deus, que é um homem correto que fez as obras de Deus. Você acena afirmativamente com a cabeça e vai até um muçulmano: "Se você morrer agora, para onde você vai?". Ele também responde que vai para o paraíso, e justifica dizendo que ama o Alcorão, que é um homem obediente, que fez as peregrinações, se dedicou às orações e é um homem fiel. Você também acena com a cabeça, e passa a um cristão, um verdadeiro cristão. Você pergunta: "Senhor, se você morrer agora, para onde você vai?". Ele responde também que vai para o céu e, ao ser questionado o motivo, responde: "No pecado me concebeu minha mãe, e eu nasci na iniquidade. Eu quebrei toda as regras do meu Deus. Eu sou digno apenas da condenação mais severa...". Então você interrompe a fala dele: "Senhor, eu não entendo o que você está me dizendo. Os outros homens eu entendo. Eles estão indo pro céu por causa das suas virtudes e seus méritos. Eles estão indo pro céu porque Deus deve isso a eles. Você diz que está indo pro céu, mas alega que não tem mérito ou virtude nenhuma. Como você vai pro céu?". O cristão sorri e diz: "Eu estou indo pro céu baseado na virtude e no mérito de outro: Jesus Cristo, meu Senhor!". Essa é a verdadeira diferença entre o cristianismo e todas as outras religiões do mundo. Toda glória, honra e louvor a Jesus Cristo.

A doutrina da regeneração **59**

Mas esta é uma das razões pelas quais os homens odeiam o cristianismo. Pense nisso um pouquinho. Você não esperaria que um homem odiasse uma religião de obras, porque ela o aprisionaria, dando uma tarefa impossível? Mas na verdade ele ama esse tipo de religião. Por que ele odiaria uma religião de graça? Por uma razão: ele tem que se humilhar, reconhecer quem ele realmente é. Uma religião de graça não permite que ele seja Deus. Uma religião de obras faz com que ele se assenhore como Deus. O que eu quero dizer? Se você acredita em uma religião de obras, você acredita na mentira que veio desde o início da humanidade: "Vocês serão como Deus". O que eu quero dizer? Imagine que você me deve mil dólares. Quem está no controle da situação? Eu estou no controle, porque você me deve e tem que me pagar. Eu estou no controle. É isso que a religião de obras está dizendo para Deus. "Eu sou um homem correto, eu fiz tudo direitinho. Você, Deus, me deve. Eu estou no controle". Você percebe? Mas a religião de graça exige que o homem faça o contrário: "Senhor, eu não tenho argumento nenhum perante o Senhor. Eu não tenho nada para oferecer, nada para pagar pelos meus crimes. Mas Senhor, olhe para a cruz do calvário. Lá está meu pagamento. Olhe para Cristo. Lá está minha virtude. Olhe para Cristo, e lá está meu mérito. Nada nas minhas mãos eu trago, mas apenas à cruz eu me agarro". Isso é cristianismo.

O texto fala "sendo justificados gratuitamente pela sua graça, mediante a redenção que há em Cristo Jesus, a quem Deus propôs o seu sangue como propiciação mediante da fé" (v. 24-25). Em Efésios 1, Paulo usa esta frase "em Cristo Jesus" várias vezes, nos primeiros 14 versículos. "Em Cristo", "No amado", "nele", repetidamente. Tudo o que nós temos é apenas em Cristo! Uma vez um jovem se aproximou de mim depois da pregação e disse: "Você está certo, irmão Paul! Jesus é tudo o que precisamos". Eu disse: "Jovem, Jesus é tudo o que nós temos". Ele não é só tudo o que precisamos, ele é tudo o que temos. Fora dele, nós não temos relacionamento com Deus. Fora dele, não há esperança qualquer. Fora dele, não há qualquer vida. Ele é tudo. Quando um pregador sobe ao púlpito, se ele é realmente um homem de Deus, a pessoa que ele vai apresentar a você é Jesus Cristo, acima de todas as coisas. Se você é um verdadeiro cristão, isso é o que você vai desejar. Como os gregos que disseram aos apóstolos: "Senhor, nós queremos ver a Jesus". Essa é a batida do coração de todo crente: "Eu quero conhecer a Jesus, eu quero conhecer mais de Jesus, eu quero entender o que ele fez por mim, a fim de adorá-lo". Fora dele, não há nada. Paulo deixa isso muito claro, no capítulo 5 de Romanos. Existem duas esferas: ou você está em Adão ou você está em Cristo. Em Adão só há morte e condenação, em Cristo só há justificação e vida. E nós passamos a estar em Cristo pela fé, e pela fé apenas.

Existem mais algumas coisas no nosso texto que eu gostaria de destacar, como a palavra "redenção". Existem algumas palavras na Bíblia que só deveriam ser pronunciadas com lábios tremendo de temor, de tão preciosas que são. Às vezes, eu ouço as pessoas dizendo que foram redimidas de forma tão jocosa e boba, como se isso não fosse nada demais. Nós precisamos tomar muito cuidado e entender o que estamos dizendo. Se alguém me desse um grande presente, porque eles são ricos, eu poderia dizer: "Uau! Vou dançar e festejar! Como eu estou feliz!". Mas se alguém me dá um presente que custa a vida de seu próprio filho, eu preciso receber esse presente com mais seriedade. Eu posso me alegrar, claro que sim! Que os remidos do Senhor se alegrem! Mas entenda o que você está dizendo. Você é remido porque ele foi massacrado. Isso precisa estar em sua mente.

O que significa redenção? Significa pagar um preço a fim de libertar um prisioneiro, ou um cativo, ou um escravo. Você era um prisioneiro, um escravo, um cativo, mas você não era uma vítima. Você era todas estas coisas por causa do seu próprio pecado.

A doutrina da regeneração **61**

E para que você fosse salvo, um preço precisava ser pago por você. A pergunta é: "para quem foi pago este preço?". Permita-me usar a ilustração de um filme que eu assisti há um tempo. Você vê um homem acorrentado a uma parede de uma prisão, sofrendo. Então, o narrador nos diz que à medida que ele está na parede, ele nos representa nos nossos pecados. Então, no vídeo, você vê uma sombra se aproximando. E o narrador diz que este é Satanás, que tem um chicote grande nas mãos. Ele está pronto para descer o chicote sobre aquele pecador. Mas à medida que ele está se aproximando, Cristo entra no meio e recebe o açoite no lugar do pecador. Parece muito bonito, mas isso é heresia. E eu espero que você tenha reconhecido isto, porque se não, você não entendeu a cruz.

Na cruz, Cristo não sofreu a ira de Satanás. Na cruz ele sofreu a ira de Deus. Há um sentido em que Satanás tem domínio sobre você, mas seu problema não é Satanás, seu problema é Deus. Não é Satanás quem vem com sua ira atrás de você, mas sim Deus em sua justiça e santidade. Você quebrou todas as leis do Senhor, e sua justiça exigia a sua morte. Ao mesmo tempo, o seu amor enviou o seu Filho, e seu Filho permaneceu no seu lugar, entre você e a ira de Deus. Deixe-me colocar da seguinte forma: Deus lhe salvou dele mesmo. Deus lhe salvou para ele mesmo. E Deus lhe salvou por intermédio dele mesmo.

Eu quero que você entenda algo muito importante. Eu não queria que você olhasse para o Pai como um Deus irado que queria matá-lo, mas que o Filho que lhe ama ficou entre você e o Pai, e lhe salvou do Pai. Não é assim que funciona. Ouça a Bíblia. "Porque Deus amou o mundo de tal maneira que enviou o seu filho" (João 3:16). O Pai nos ama, mas eis o problema: nós pecamos, nós violamos a justiça e na sua justiça, ele tem que nos condenar, e o filho concorda com essa condenação. Mas o Pai, o Filho e o Espírito elaboraram um plano para nos salvar em amor. O Pai amava o seu povo de tal forma que ele enviou o seu filho, e o Filho ama o seu povo de tal forma que ele aceita e vem, e morre em nosso lugar.

O versículo 25 diz: "a quem Deus propôs como propiciação para manifestar a sua justiça". A palavra propiciação, à parte dos nomes de Deus, é possivelmente a palavra mais importante em toda a Bíblia. Eu não quero magoá-lo, mas quero mostrar uma coisa. Eu encontro crentes, crentes realmente sinceros e verdadeiros, que têm estado na igreja há mais de vinte anos e que nunca ouviram um único sermão sobre propiciação, e nem sabem o que significa. E, ainda assim, os teólogos da história da igreja concordariam comigo de que esta é uma das palavras mais importantes da Bíblia. O que isso nos diz? Que há muitos pregadores pregando muitas coisas sem sentido, ao invés de alimentar o povo de Deus com as coisas mais importantes. São homens carnais, que amam coisas carnais e pregam coisas carnais, e as coisas mais preciosas eles desprezam.

O que é "propiciação"? Refere-se a um sacrifício que é dado para satisfazer a justiça de Deus, e ao satisfazer esta justiça, apazígua a ira de Deus. E quem é esse sacrifício? Jesus Cristo, nosso Senhor.

Agora veja o início do versículo 25: "A quem Deus propôs". Jesus Cristo foi crucificado no centro religioso do universo. Ele foi crucificado publicamente para que todos vissem. Por quê? E por que Paulo especificamente enfatiza que Deus propôs isso para manifestar publicamente? Ele continua aqui dizendo uma das verdades mais lindas da Bíblia, e estou progredindo ao longo deste livro para chegar nesse ponto. Por que Jesus teve que ser crucificado publicamente? Quando você faz algo público, é porque quer que todo mundo veja algo. Automaticamente, você está pensando que é óbvio que Deus quer que todos vejam que Jesus morreu por nós. Mas não é bem isso. Você está se colocando no lugar de Deus.

A doutrina da regeneração **63**

Você já pensou que tudo isso não tem tanto a ver com você, tem mais a ver com Deus? Sim, ele apresentou a Cristo publicamente para que possamos vê-lo, para sabermos que ele morreu por nós, mas há um propósito maior, que é encontrado aqui: "Deus propôs isso para manifestar publicamente a sua justiça" (v. 25). Por que Deus tem que demonstrar ou provar que ele é justo? Deus fez alguma coisa no passado que faria com que as pessoas entendessem que ele não é justo? Sim, ele fez. Desde a queda de Adão as pessoas levantam a pergunta "será que ele é justo?". O que ele fez? Diz o final do versículo 25: "Na sua tolerância, deixado impune os pecados anteriormente cometidos". O que isso significa?

É isso o que você tem que entender. Se Deus enviasse todo mundo para o inferno, ele não teria que dar explicação nenhuma. Todo céu concordaria com ele. Não há inconsistência qualquer. "Eles merecem ir para o inferno. Deus os enviou para lá, o Senhor fez o que é certo. Vamos continuar". Mas o problema é o seguinte: quando Deus não nos envia ao inferno, é aí que o céu fala: "O que o Senhor está fazendo?".

Permita-me ilustrar isso. Nós sabemos muito pouco sobre Satanás. Sabemos pouco sobre sua queda. Eu sei que pessoas escrevem livros sobre Satanás, mas se você se detiver às Escrituras, nós não sabemos tanto sobre ele quanto se acha que sabemos. Aparentemente era um anjo que se rebelou contra Deus, que caiu, e na sua queda o que Deus fez? Decretou perfeita justiça contra ele. Nenhuma misericórdia. Perfeita justiça. Agora voltemos a Adão. Deus alerta que no dia em que comesse daquele fruto ele morreria. Então ele come do fruto e morre. Mas não acontece o que se imagina, porque naquele juízo, o que se encontra? Misericórdia. Mesmo em Gênesis 3:15, encontramos a primeira promessa do evangelho de que Deus enviaria alguém que feriria Satanás mortalmente e restauraria a Criação. Queria que você pensasse nisso por um instante, colocando-se no papel de Satanás: "Deus, onde está sua justiça? Eu caí, justiça perfeita; mas para Adão, você dá uma promessa. Tudo bem que o Senhor matou todo mundo no Dilúvio, mas Noé também era um pecador. Ele devia ter morrido. E Abraão então? O senhor o chama de amigo, mas ele mentiu e não creu no Senhor. Ele também é um pecador. E a nação de Israel? Seu povo? O Senhor os libertou do Egito e eles me adoraram no deserto! E Davi? O senhor chama Davi de filho, mas onde está a justiça de Deus nisso tudo? Davi era adúltero e assassino!". Na longanimidade de Deus, sua justiça aparentemente é questionada. E ainda hoje Satanás olha para nós e questiona a Deus: "E eles? Olhe para eles! Eles todos merecem a morte!".

Dois mil anos atrás Deus silenciou estas perguntas. "Satanás, fique no seu lugar. Sabe porque eu posso dar essa promessa a Abraão? Sabe como eu posso salvar Noé? Sabe como eu posso chamar Abraão de amigo? Sabe como posso chamar Davi de filho? Olhe para a cruz do Calvário, porque lá você vai encontrar meu Filho morrendo por todos eles. Todos que já foram para o céu no passado, presente ou no futuro, chegam lá por uma razão somente: pelo cordeio que morreu no calvário".

Você diz o seguinte: "a minha fé me salva", mas a sua fé seria inútil e sem valor, se não houvesse uma expiação. Sua fé não tira o seu pecado. Apenas uma propiciação pode fazer isso. Você se identifica com essa propiciação pela fé. Porque Cristo foi exposto publicamente? Para responder à pergunta do século.

Veja o versículo 26: "tendo em vista a manifestação da sua justiça no tempo presente, para ele mesmo ser justo e o justificador". Nós começamos fazendo uma pergunta: "Como Deus poderia ser justo e ainda assim perdoar homens ímpios?". Aqui nós temos a resposta: porque o próprio Deus assumiu sobre si todos os crimes da humanidade. Esse é o evangelho.

Alguns dos que estão lendo isto podem estar dizendo para si mesmos: "Eu tenho sido cristão por 15 ou 20 anos e nunca ouvi

A doutrina da regeneração   **65**

isso em toda a minha vida ". Se você voltasse cerca de 100 anos na história, e voltasse mais 400 anos na história, isso é o que você descobriria: esse era o evangelho pregado por todo pregador, todo domingo, e você podia chegar naquela época a uma criança de 10 anos de idade e ele explicaria o evangelho para você.

Agora, pergunte a si mesmo, o que aconteceu com o evangelicalismo? O que aconteceu com a pregação? O que aconteceu com o púlpito, de tal forma que o povo de Deus padece de tamanha falta de conhecimento? Se não estão pregando a Cristo, se eles não estão se esforçando para que as pessoas entendam toda a verdade de Deus a partir deste livro, se ao invés de trazer a palavra de Deus, estão dando apenas suas pequenas e tolas visões para que você tenha sua melhor vida agora, então fuja, saia de lá.

Deixe-me fazer uma pergunta. Você vai pra igreja porque a música é profissional? Isso é enojador. Você vai lá porque tem programas sociais limpinhos para suas crianças, ou porque é empolgante e tem muita gente legal? Então perceba o seguinte: você está em erro. Uma das coisas que eu amo no meu pastor nos Estados Unidos – ele ainda tem 30 e poucos anos –, e ele é o pastor de alguém velho como eu, é o que ele diz: nós não vamos oferecer nada nesta igreja, a não ser Jesus Cristo. E ele está falando sério. Se você chegar naquela igreja, só há algumas coisas que oferecemos: pregação expositiva, sermões longos, encontros de orações longos e muita fala sobre Jesus. Por que você vai para a igreja? Por que você se identifica com a igreja evangélica?

Você tem certeza de que está na fé? As suas paixões são a palavra de Deus, a palavra de Cristo? Ou tem a ver com as dádivas, os presentes que Jesus pode lhe dar? Estude a Palavra. Renove a sua mente na Palavra. Cultive um apetite para as coisas mais saborosas e melhores, e a melhor das melhores coisas é Deus, em Cristo.

Capítulo 5

A obra de Cristo no Calvário

té agora, falamos do pecado do homem manifestado na natureza depravada do homem e em suas obras. Nós também falamos delongadamente sobre a justiça de Deus, pelo fato de ele ser santo e justo, porque ele é amor, ele odeia o pecado e ele vem em juízo correto contra o pecado. Apresentei também o grande dilema, o cerne do evangelho, o maior problema de toda a Escritura: "Como é que um Deus justo pode justificar homens ímpios e, ainda assim, ser justo?". Apenas através da cruz do calvário, onde Deus suportou os pecados de seu povo, e ele foi amassado debaixo da ira de Deus; ao sofrer e morrer em nosso lugar, ele satisfez a justiça de Deus, apaziguou a ira de Deus, e agora Deus pode ser justo e justificador daqueles que acreditam em Cristo Jesus, que não se gloriam em sua própria carne, que não possuem esperança em seus próprios atos, mas confiam em Cristo somente.

Agora nós vamos olhar nas Escrituras para diferentes imagens de Cristo, para que possivelmente você entenda com maior profundidade o que aconteceu com ele na cruz, e o que ele realizou por seu povo.

Àquele que não conheceu pecado, o fez pecado por nós; para que nele fôssemos feitos justiça de Deus (2Coríntios 5:21).

A primeira imagem que eu gostaria que você visse de Cristo é de que ele não conheceu pecado. Você e eu não temos conhecido outra coisa senão pecado, todos os dias de nossa vida. Nós fomos treinados no pecado. Nós nascemos no pecado. Nós somos cercados por pecado. Nós conhecemos o pecado como um amigo íntimo. Cristo não conheceu qualquer pecado. Não havia qualquer coisa que pudesse atraí-lo ao pecado, por conta da pureza de sua natureza.

Na epístola de Tiago diz que Deus não pode ser tentado. Muitas pessoas acham que isso significa o seguinte: "Deus é tão moralmente forte que ele consegue resistir ao pecado". Isso não é o que significa. Deus não precisa resistir ao pecado. Por quê? Porque não há nada nele que ame o pecado. O homem caído tem o pecado dentro dele. Quando ele é tentado, as suas afeições são atraídas pela tentação. Ele ama aquilo, quer experimentar aquilo. Mas Deus é santo. Quando ele vê o pecado, ele o repudia e o odeia. Não há nada no pecado que atraia suas afeições. Ele é santo, santo e santo.

Agora, quando você ouve que Jesus não conheceu o pecado, você pode pensar o seguinte: "Sim, ele obedeceu a Deus perfeitamente", e isso é verdade. No entanto, isso é ainda mais profundo do que você imagina. Uma vez um homem me perguntou: "Qual é o maior pecado?", e é claro que a Bíblia não fala nestes termos, mas eu resolvi respondê-lo para continuar a conversa. Eu disse o seguinte: "Eu imagino que o maior pecado é quebrar o maior mandamento, que é amar o Senhor nosso Deus de todo coração, alma, força e entendimento". Agora, imagine o seguinte: não houve um único momento, em toda a sua vida, em que você tenha amado ao Senhor teu Deus de toda a sua força, coração, alma e entendimento. Nunca houve um único momento em toda a história da humanidade que qualquer homem tenha amado a Deus de toda a sua força, alma, coração e entendimento. Mas olhe para Jesus. Nunca houve um único momento em sua vida em que ele não tenha amado ao Senhor seu Deus com toda a sua alma, força, entendimento e coração. Jesus, durante toda a sua vida, fez o que toda a humanidade não conseguiu fazer em um único momento. Você percebe quão incrível, quão fantástico ele é?

> pois não temos um sumo sacerdote que não possa compadecer-se das nossas fraquezas, mas sim alguém que, como nós, passou por todo tipo de tentação, porém, sem pecado (Hebreus 4:15).

Ele foi tentado em todos os aspectos, como nós, mas nunca falhou uma vez sequer. Deixe eu explicar isso um pouco mais profundamente. Nós temos essa ideia de que ele foi tentando da mesma forma que eu sou tentado, no mesmo nível de intensidade, e nunca caiu. Não é isso que o texto está dizendo. Imagine duas pessoas levantando peso. Jesus é um campeão mundial olímpico de levantamento de peso, enquanto nós somos pessoas comuns. Se você colocar uma barra sem pesos nas minhas costas, eu posso aguentar, assim como Jesus. Mas, se você colocar 100 quilos, talvez eu ainda aguente. Você põe cem quilos na barra dele, ele aguenta. Vai colocando mais quilos na minha barra, e eu vou começar a suar, a tremer. Os pesos vão sendo acrescentados na dele, e ele está bem. Você põe 300 quilos na minha barra e meus joelhos trôpegos não aguentam e eu caio. Mas você coloca milhares de quilos em sua barra e ele permanece de pé. É isso que eu quero que você entenda, quando o texto diz que ele foi tentado. Nós experimentamos as tentações mais leves e caímos. Ele experimentou um mundo de tentações, infinitamente mais do que nós podemos conhecer, e ele permaneceu como uma rocha. Esse é o salvador que nós temos. É isso o que significa.

"Àquele que não conheceu pecado, o fez pecado por nós" (2Coríntios 5:21). Deus fez a Jesus, que não conheceu pecado, Deus o fez pecado por nós. Para um homem que realmente entende este texto, parece que vira você do avesso. É além da compreensão. E quando olhamos para um texto como esse, precisamos que tentar entendê-lo.

Você lê: "Ele foi feito pecado por nós", mas o que significa isso? Essa é a tarefa do pregador. É a tarefa de quem faz a exegese: "O que isso significa?". Será que significa que, quando Jesus estava na cruz, ele de alguma forma se tornou corrupto em sua natureza, e se tornou uma coisa manchada e impura? É claro que não. Mesmo na cruz ele era o cordeiro sem mancha e sem defeito. Mas o que isso significa, então? Nós entendemos o significado disso, ao olharmos para a segunda parte do versículo. "Àquele que não conheceu pecado, o fez pecado por nós; para que nele fôssemos feitos justiça de Deus" (2Coríntios 5:21).

Quando as pessoas creem em Jesus, será que elas se tornam pessoas justas? Não. Não significa que elas assumem uma natureza tão perfeita que elas se tornam santas no seu ser. Então, o que acontece? Lembra do que falamos sobre justificação, é uma declaração forense. No momento em que você crê em Jesus, Deus declara-o legalmente quite e justo com ele. Então, muito importante, ele lhe trata como sendo realmente justo para com ele. Quando Cristo estava na cruz, o que significa 'ele se fez pecado'? Deus imputou nossa culpa sobre Cristo. Jesus foi declarado legalmente culpado diante de Deus. Então, Deus o tratou como culpado. Ele retirou a sua presença favorável: "Deus meu, Deus meu, porque me desamparaste?". Então, ele moeu seu Filho amado debaixo da plena força de sua ira. É isso o que significa Jesus morrer em seu lugar. O justo carregou o nosso pecado.

Eu quero usar uma ilustração que é bem frágil e limitada, mas que explica um pouco isto. Vamos imaginar que haja uma moça muito fiel e cristã conosco. Ela se manteve limpa das coisas do mundo e andou em santidade, longe das impurezas do mundo. Então, em um destes dias, ela vai até uma cidade grande no Brasil e decide que vai pregar o evangelho para prostitutas. No entanto, enquanto ela está fazendo isso, a polícia chega. A polícia pega a prostituta e lança no camburão, e então pega a moça e joga-a no camburão também. À medida que ela vai até a delegacia, as prostitutas estão rindo, estão contando piada, estão falando no celular. Isso não é nada para elas. Elas estão acostumadas a isso. Mas esta moça está no cantinho, e não consegue nem respirar. É tão vergonhoso! O terror é tão pleno, mas isso não consegue nem mesmo começar a descrever a cruz de Cristo.

Você nasceu separado de Deus, um estilo de vida que é seu. Mas Cristo existiu desde toda a eternidade numa relação perfeita com o Pai e com o Espírito. Ele era o gozo e a alegria de seu Pai, e o Pai era a sua alegria. Tudo o que o Pai fazia era para o Filho, e tudo o que o Filho fazia era para o Pai, numa perfeita unidade de infinito amor. Mas na cruz isso é fraturado, é quebrado em pedaços, de tal forma que o franzir da testa que nós deveríamos ver veio sobre o Filho do Deus vivo.

> Já os que são pela prática da lei estão debaixo de maldição, pois está escrito: 'Maldito todo aquele que não persiste em praticar todas as coisas escritas no livro da Lei' (Gálatas 3:10).

Isso está escrito para todos que acham que podem ser salvos pelas suas obras. Maldito é aquele que não obedece a todas as coisas escritas na Lei. Agora, o que significa ser maldito? Nós perdemos o sentido do que estas palavras realmente querem dizer. É mais do que estar aterrorizado. Se você morrer fora de Cristo, você vai morrer maldito de Deus. Quando você permanecer na presença dele, vai ser considerado vil e horripilante, e a maldição contra você será tão grande, que a última coisa que irá ouvir, quando der o seu primeiro passo para dentro do inferno, será toda a criação ficando de pé, aplaudindo a Deus porque ele livrou a terra de você. Toda a criação de pé, se alegrando, porque você foi lançado no inferno. Todos os remidos, todos os anjos, toda a Criação, levantarão suas mãos e dirão: "Deus é justo!", porque você foi finalmente lançado no inferno. Isso é o que significa estar sob a maldição de Deus. Se você está tentando se salvar fazendo boas obras, se você está tentando se salvar mediante a sua religião, isso é a uma descrição sua.

Agora, todos nós éramos malditos. Todos nós merecíamos aquela condenação. Mas Cristo nos livrou da maldição da lei: "Cristo nos redimiu da maldição da lei, quando se tornou maldição em nosso lugar, pois está escrito: 'Maldito todo aquele que for pendurado num madeiro'" (Gálatas 3:13). Percebe o que ele fez? Ele não simplesmente suportou o seu pecado, mas carregou a sua maldição. Embora ele fosse o amado de Deus, tornou-se o ponto focal onde toda a ira de Deus convergia. Tudo derramado sobre ele.

Vamos pensar no Jardim do Getsêmani. Jesus está lá em terrível angústia, ao ponto de suar gotas de sangue. Ele disse três vezes: "Passe de mim este cálice". Eis a questão: O que estava no cálice? Deixe-me dizer o que o cálice não representa. Eu tenho ouvido tantos sermões na época da Páscoa que falam desta passagem, e sabe o que a grande maioria dos pregadores diz? Que Jesus, na sua onisciência, olhou para a cruz romana e ficou aterrorizado. Ele podia ver o chicote nas suas costas, podia antecipar a coroa de espinhos colocada em sua cabeça, antever aqueles pregos que perfuraram suas mãos e a lança que perfurou o seu lado, e ficou em angústia e em oração. Isso, porém, não é verdade, e eu posso provar para você.

A obra de Cristo no Calvário   73

Depois da ressurreição de Cristo, pelos próximos 300 anos, a maneira mais popular de se matar um cristão era crucificando-o. Eles eram surrados, pregados em cruzes, muitas vezes de cabeça para baixo e, às vezes, eram cobertos de querosene e incendiados. E a história dos mártires nos conta que muitos deles foram à cruz cantando hinos, alegres porque podiam sofrer junto com seu mestre. Você honestamente pensa que os discípulos de Cristo poderiam encarar a cruz de maneira tão corajosa, mas o capitão de sua salvação está orando no jardim e suando sangue? Isso é ridículo. O que estava no cálice?

> Porque na mão do Senhor há um cálice cujo vinho é tinto; está cheio de mistura; e dá a beber dele; mas as escórias dele todos os ímpios da terra as sorverão e beberão (Salmo 75:8).

Ele não suou sangue por causa do que homens fariam a ele, mas por causa do que Deus, o Pai, faria com ele. Porque o Pai pegaria um cálice cheio de ira que pertencia a nós e o seu Filho beberia em nosso lugar.

> Porque assim me disse o Senhor Deus de Israel: Toma da minha mão este copo do vinho do furor, e darás a beber dele a todas as nações, às quais eu te enviarei. Para que bebam e tremam, e enlouqueçam, por causa da espada que eu enviarei entre eles (Jeremias 25:15,16).

Há alguns anos, eu estava ensinando em uma escola de ensino médio que era cristã de linha reformada. Nesta escola, as classes iam do jardim de infância até o Ensino Médio. Eles pediram que eu ensinasse as Escrituras na capela. Quando cheguei, perguntei: "A quem eu vou ensinar?". Eles responderam que seriam alunos do jardim de infância ao Ensino Médio. "Mas eu ia ensinar sobre a doutrina da propiciação", disse. O chefe da escola olhou para mim e garantiu que isso não seria um problema. Eu comecei, então, a ensinar sobre Cristo se oferecendo como propiciação, se oferecendo em nosso lugar. Cheguei então ao momento de falar sobre o jardim. Eu olhei para os alunos e perguntei: "O que estava no cálice?". E uma pequena mocinha de 9 anos levantou a mão. Eu disse que ela podia falar. Ela se levantou, saiu de trás da carteira, e disse: "Senhor, a ira do Deus todo poderoso estava no cálice".

Da boca de pequeninos Deus suscita louvor. Ela sabia mais do que a maioria dos pastores que estão pregando hoje. Sim, a cruz foi terrível. A crucificação é sempre algo violento. Mas foi o terror da ira de Deus que balançou nosso Salvador. Se você não entende isso, não está pregando o evangelho. Eu estive em um seminário anos atrás na Europa Oriental. Tudo era escrito em alemão. Na Biblioteca, depois de muito procurar, finalmente encontrei um livro que eu conseguia ler. Era chamado "A cruz de Cristo". Não confunda com o escrito pelo John Stott. O do Stott é bom. Comecei então a ler o livro, e encontrei o argumento principal dele. Ele dizia: "Deus olhou lá dos céus e viu o sofrimento do seu filho, que foi infligido pelos romanos, e Deus considerou isso pagamento pelos nossos pecados". Quando eu repito isso em algum sermão, eu frequentemente ouço alguém dizer "Amém!", mas isso é heresia! Nós não somos salvos e nossos pecados não foram expiados porque os romanos surraram a Jesus. Os nossos pecados são expiados porque o Pai esmagou o seu filho com a ira que pertencia a nós.

O livro de Lucas nos diz que Cristo cresceu de um menino a um homem, cresceu em estatura e sabedoria, e à medida que ele crescia em sabedoria a obra da redenção se tornou mais e mais clara para ele. Hebreus mesmo diz: "Ainda que era Filho, aprendeu a obediência, por aquilo que padeceu" (Hebreus 5:8). Os puritanos

A obra de Cristo no Calvário **75**

falavam que Cristo crescia como garoto, em estatura e sabedoria, e a revelação da redenção foi tornando-se cada vez mais clara para ele. Ele estava entendendo cada vez mais o que lhe custaria para salvar o seu povo. A revelação chega e ele tem de morrer. E parece que isso atinge seu peito como se fosse um caminhão. Ele diz: "Não a minha vontade, mas a tua". E, de repente, torna-se cada vez mais claro o que isso significa, maiores revelações do que ele teria que padecer. Novamente, isso parece acertá-lo como um caminhão direto no seu peito. Ele diz novamente: "Não a minha vontade, mas a tua". Então, na última noite no Getsêmani, quando todas as portas do inferno estão abertas contra ele, e ele possui a plena revelação do que significa morrer pelo seu povo e novamente isso o atinge, ele permanece: "Não a minha vontade, mas a tua". Esse é o tipo de salvador que nós servimos. Esse é o forte e poderoso salvador que nos salvou. Jesus Cristo!

Agora ele está na cruz. "Deus meu, Deus meu, porque me desamparaste?". Sabe o que eu ouvi pregadores dizerem? Que Deus olhou lá dos céus e viu o sofrimento do seu filho e não conseguia mais suportar ver esse sofrimento, e então virou o seu rosto. Mesmo? Não! Sabe aqueles panfletos evangelísticos que nós temos, onde Deus está de um lado e nós do outro, separados por um gigante abismo, representando a separação do Deus santo do homem pecador, onde nós não podemos passar porque nossos pecados fizeram separação entre nós e Deus? Como você acha que a separação seria fechada? Alguém teria que sofrer, e ele sofreria fora da presença favorável de Deus. É exatamente o que Cristo fez.

> Deus meu, Deus meu, por que me desamparaste? Por que te alongas do meu auxílio e das palavras do meu bramido? Deus meu, eu clamo de dia, e tu não me ouves; de noite, e não tenho sossego. Porém tu és santo, tu que habitas entre os louvores de Israel. Em ti confiaram nossos pais; confiaram, e tu os livraste.

A ti clamaram e escaparam; em ti confiaram, e não foram confundidos (Salmos 22:1-5).

É como se Cristo estivesse dizendo: "Durante toda a história, sempre que alguém clamou por ti, ó Deus, toda vez que eles confiaram em ti em meio a sua aflição, o Senhor foi fiel em salvá-los. Mas eis-me aqui, o teu Filho amado, eu clamei de dia e de noite, mas o Senhor não me livrou". Por quê? A resposta está adiante: "Porém tu és santo [...], mas eu sou verme" (v. 3,6).

E disse: Toma agora o teu filho, o teu único filho, Isaque, a quem amas, e vai-te à terra de Moriá, e oferece-o ali em holocausto sobre uma das montanhas, que eu te direi (Gênesis 22:2).

Veja a linguagem: "Toma agora o teu filho, o teu único filho, [...] a quem amas". Lembra de algum versículo do Novo Testamento parecido com isso? "Deus amou o mundo de tal maneira que deu seu único filho" (João 3:16). Então, esse velho homem obedece à voz de Deus. Ele toma seu filho e vai para Moriá. Ele prepara o fogo, a madeira e então toma a faca. Quando vai cravá-la no peito de seu filho, Deus fala: "Não estendas a tua mão sobre o moço, e não lhe faças nada; porquanto agora sei que temes a Deus, e não me negaste o teu filho, o teu único filho" (Gênesis 22:12). Então, o que acontece? Abraão se vira e há um carneiro preso pelos chifres nos arbustos. E quando nós lemos uma história tão intensa como essa, pensando se ele realmente matará o menino, e vemos um carneiro oferecido no lugar do menino, nós dizemos: "Ufa!". Você pensa que é um final lindo para a história. Mas não era o final, era apenas o intervalo. Séculos depois, a cortina se abre novamente e lá está o Filho de Deus, seu único filho, pendurado no calvário. Deus toma a faca da mão de Abraão e a crava no coração do seu único filho.

Você percebe o que é realmente precioso? Todos estes pregadores tolos profetizando coisas absurdas, falando de riqueza e prosperidade. Eles me enojam! Porque não dão ênfase ao que merece ênfase, que é Jesus Cristo e o que Deus fez por meio dele. O Salmo 24 é conhecido como salmo da ascensão. Foi usado em Israel com este propósito e também foi adaptado pela igreja primitiva para falar da ascensão de Cristo.

> Quem subirá ao monte do Senhor, ou quem estará no seu lugar santo? Aquele que é limpo de mãos e puro de coração, que não entrega a sua alma à vaidade, nem jura enganosamente (Salmos 24:3,4).

A pergunta a ser feita é a seguinte: quem pode ir para o céu? Quem pode ficar na presença de Deus? Há aqui, então, as qualificações. A pergunta, então, passa a ser: você está qualificado? Sei que não. Ninguém preenche tais requisitos. Adão não era qualificado. Alguém é qualificado? Não! Nós podemos observar qualquer pessoa do povo de Deus através da história e ninguém está qualificado. Mas então nós vemos a Jesus, o Filho de Deus, e não apenas o Filho de Deus, mas o verdadeiro homem, verdadeiramente nosso irmão, carne da nossa carne e osso de nossos ossos. Ele não somente foi ressurreto dentre os mortos, mas foi assunto aos céus. E à medida que ele sobe aos céus, chega nas portas da glória como um homem, como nosso representante, como nosso irmão, e diz àqueles portões: "Levantai, ó portas, as vossas cabeças; levantai-vos, ó entradas eternas, e entrará o Rei da Glória" (Salmos 24:7).

Charles Spurgeon coloca da seguinte maneira: ao som da voz de um homem, todos os habitantes do céu se reúnem. Todos os anjos de glória se aproximam da parede, e eles olham por cima do muro, e perguntam: "Quem é este? Quem é o Rei da glória?

78 O evangelho de Deus & O evangelho do homem

Quem é o homem que ousa colocar a mão nesta porta? Nenhum homem jamais chegou neste portal. Quem é você?". E novamente a resposta: "O Senhor forte e poderoso, o Senhor poderoso na guerra. Levantai, ó portas, as vossas cabeças, levantai-vos, ó entradas eternas, e entrará o Rei da Glória" (Salmos 24:8,9). E pela primeira vez na história da humanidade, os portais se abrem a um homem, e ele entra na glória, e todos os anjos se curvam diante dele, mas ele entra na glória, não pela graça, mas pela sua própria virtude e mérito.

Você se lembra, quando Ester se aproximou do rei? Ela tinha que esperar, porque se o rei não abaixasse o seu cetro, ela seria morta por entrar no recinto mais sagrado do rei. Eu queria falar sobre isso com toda a reverência que eu puder. Ninguém poderia entrar naquela sala do trono, mas Jesus entrou. E ele não esperou na porta. Ele não esperou que o cetro abaixasse para ele. Ele sabia quem ele era. Ele sabia que era direito dele. E ele se aproximou do trono do próprio Deus, e sentou do lado direito de Deus. E ele disse: "Está consumado", e o pai respondeu: "Está consumado, de fato".

Algumas pessoas dizem o seguinte: "Eu não entendo qual a grande coisa a respeito disso, porque antes da encarnação ele sentava no trono". Você quer saber porque isso é importante? É porque ele agora senta neste trono não simplesmente como Deus, mas como seu irmão, carne da sua carne, osso dos seus ossos, e mesmo perante o Pai, ele não está envergonhado de te chamar de irmão. Esse é o nosso Jesus.

Talvez você esteja dizendo para si mesmo: "Uau! Eu nunca ouvi nada assim antes". Deixe-me lhe dizer uma coisa, a mesma coisa que Jó disse. Em relação ao evangelho, nós ainda nem sequer vimos a glória que circunda. Nós não chegamos em qualquer montanha. Nós nem chegamos ainda nos pequenos montes das glórias do evangelho. Então, se você é um pregador, você sabe o que eu estou dizendo, e você sabe melhor do que eu. Mas eu vou dizer isso a todo pregador que me lê. Esta é a nossa tarefa. Não chegar a um púlpito e entreter as pessoas. Não falar sobre alguma visão que nós tivemos de prosperidade. Nossa tarefa é estar a sós com Deus horas e horas por dia, estudando sua Palavra horas e horas por dia, lendo sobre os homens de Deus que viveram antes de nós horas e horas por dia. Então, chegarmos todo domingo no púlpito explodindo com a glória que vimos, querendo explicar as Escrituras para as pessoas, querendo trazer Jesus a elas.

Poderíamos gastar os próximos cem anos pregando sobre nada além do evangelho, trazendo todo pregador do mundo que realmente conhece o evangelho para escrever a respeito 24 horas por dia, e poderíamos trazer todos os bons pregadores da história da igreja, desde os que estavam aos pés dos apóstolos, até os grandes reformadores, até os puritanos e os primeiros evangélicos, e eles poderiam escrever por cem anos coisas que você nunca leu. E depois disto, você ainda não saberia nada sobre o evangelho. Lembra do que eu escrevi no primeiro capítulo? Quando a segunda vinda de Cristo acontecer, você saberá de tudo sobre a segunda vinda, mas você vai passar a eternidade na glória e ainda não terá compreendido a glória de Deus no evangelho de Cristo. A vida eterna é esta: conhecer a Deus e o seu único filho Jesus Cristo. É uma jornada que começa no início da sua conversão, e ela não termina no céu. Ela nunca termina. Porque Deus é infinito.

Quando você fala do céu, quando canta a respeito do céu, sobre ruas de ouro, portais de pérolas, mansões, você não imagina que depois de alguns anos tudo isso vai lhe parecer velho? Há um problema filosófico quando falamos da eternidade. Não importa quão gloriosa ela seja, toda criação é finita. O que vai impedir que percamos a sanidade nos céus, que fiquemos cansados e enfadados? A resposta é que Deus é infinito. Sua glória é infinita. Suponha que existam dias e noites nos céus. Você levanta pela manhã, você tem uma revelação de Deus que é tão maior que a do dia anterior, que se seu coração não fosse fortalecido, as suas batidas o matariam, de tanto que você se alegraria naquela glória. Então você vai para cama e acorda na próxima manhã. E no próximo dia. E a glória de todo dia ultrapassa a glória do dia anterior. De tal forma que, se você não fosse transformado, tanta beleza o deixaria louco. É isso que faz do céu, céu: a glória infinita de Deus revelada na glória de Cristo.

Capítulo 6

Nossa resposta ao chamado do evangelho: Arrependimento e Fé

Nós temos de entender algo acerca do viver cristão. Ele é repleto de emoções, mas o cristianismo é primariamente uma religião de verdades. É fundamentada na verdade que é Jesus, mas também é fundamentada na verdade proposicional das Escrituras. Uma das coisas que queremos evitar a todo custo é fazer aquilo que é reto aos nossos próprios olhos. A única maneira de experimentar verdadeiramente a vida que Cristo tem para nós é aprendendo dele, Cristo. Não através de profecias e visões, mas por intermédio da Palavra de Deus, que está estabelecida nos céus e é totalmente confiável.

No decorrer deste livro eu tenho me esforçado para apresentar o evangelho de Jesus Cristo. Nós olhamos a depravação radical do homem, vimos a expressão disto na rebelião constante em relação a Deus, atentamos para os atributos de Deus, como seu amor, justiça e santidade, nós aprendemos que todos estes atributos existem no ser de Deus em perfeita harmonia, e que por causa disto há um problema. Como Deus pode ser justo e ao mesmo tempo justificar o pecador? A resposta é encontrada somente em Cristo. Você já ouviu, muitas vezes, que há reconciliação em Jesus, mas isso vai muito mais longe do que normalmente imaginamos. Homens e mulheres são reconciliados com Deus por intermédio de Jesus, mas há outro sentido em que até mesmo o Cosmos será reconciliado por intermédio de Jesus. E há uma maneira mais profunda ainda de olhar para a reconciliação, pelo menos em relação a revelação de Deus. Seus atributos de amor e justiça estão reconciliados no evangelho. De tal forma, que Paulo pode dizer que Deus é tanto justo quanto justificador daqueles que amam a Jesus.

Já falamos do sofrimento na cruz. Sabemos que não foram os pregos do calvário que fizeram com que o salvador suasse gotas de sangue, mas foi a ira de Deus que ele teve de sofrer para satisfazer as demandas da justiça do Pai. Então, consideremos a ressurreição. A ressurreição prova que Jesus é Filho de Deus. É a ratificação pública do ministério de Jesus. É também prova que este mundo tem um salvador. Nós sabemos que somos salvos nele, porque ele foi ressurreto. Nós também sabemos que este mundo possui um rei e um juiz. Finalmente, nós consideramos a Jesus Cristo como nosso mediador. Frequentemente as pessoas dirão: "Eu não entendo a diferença. Antes de vir a este mundo ele já sentava à destra do Pai, e então ele voltou para lá. Então, em qual sentido ele é exaltado mais do que ele já era?". Uma das lindas verdades da Escritura é esta, que ele está assentado à destra do Pai não somente como Deus, mas como homem, nosso irmão, carne de nossa carne e osso de nossos ossos, para que, um dia, quando o crente estiver na presença de Deus como juiz, ele olhe em seu rosto e veja nosso irmão, nosso amigo, nosso mediador entre Deus e os homens. Agora nós vamos olhar para algo muito importante, a nossa resposta ao evangelho.

> E, depois que João foi entregue à prisão, veio Jesus para a Galileia, pregando o evangelho do reino de Deus, e dizendo: O tempo está cumprido, e o reino de Deus está próximo. Arrependei-vos, e crede no evangelho (Marcos 1:14,15).

Nossa resposta ao chamado do evangelho: Arrependimento e Fé **83**

Eu quero que você entenda verdades muito importantes que foram grandemente distorcidas, e muito desta distorção veio principalmente do meu próprio país, os Estados Unidos. Depois do evangelho ser pregado, frequentemente, o apelo, a chamada aos pecadores, não é bíblico, mas superficial, e leva muitas pessoas a acharem que são salvas quando não são. Veja o que Jesus faz aqui. Após anunciar que o tempo está cumprido e o reino de Deus está próximo, Cristo estabelece que nossa resposta deve ser em arrependimento e crença no evangelho.

Frequentemente, hoje em dia, no movimento evangélico, depois que o evangelho é pregado, o evangelista vai dizer algo como: "Você gostaria de receber a Jesus? Você gostaria de ir para o céu? Se você quiser, repita essa oração comigo". E depois que as pessoas repetem essa oração, ele diz: "Se você realmente quis dizer o que você acabou de orar, seja bem-vindo à família de Deus, você está salvo. E se você tiver qualquer dúvida de que é salvo, perceba que isso é só Satanás. Você tem que lembrar deste dia. Este é o dia em que você fez aquela oração".

Há um problema com essa técnica evangelística. Ela não é encontrada na Bíblia em lugar nenhum, e esse é o principal problema. Mas quando a gente interpreta as Escrituras, até o melhor dos homens, o melhor exegeta do grego e do hebraico tem de comparar sua interpretação com a história da igreja, e esse é o segundo problema. Esse método de evangelização não é encontrado na história da igreja. Há mais um problema com este método. Ele se origina de um lugar, os EUA. Ele não é global, mas veio de um único lugar, e de lá espalhou-se pelo mundo.

Então, qual deve ser nossa resposta apropriada ao evangelho? O que nós devemos dizer para as pessoas fazerem? Eu acho que seria muito sábio seguirmos as palavras de Jesus. E se nós estudarmos o livro de Atos, veremos que ele repete as mesmas coisas. E se formos para as epístolas, vamos encontrar o mesmo fundamento.

Se formos para as grandes confissões da igreja, por exemplo a Confissão de Fé de Westminster, vamos descobrir as mesmas coisas.

O que você tem de fazer? Arrependa-se de seus pecados e creia (Marcos 1:14,15). Agora, antes de definir o que arrependimento e fé realmente significam, porque muitos cristãos possuem apenas alguma ideia sobre isso, devemos atentar ao mandamento de Jesus. Ele diz, como lemos acima, que devemos nos arrepender e crer. Essas são ordens, mandamentos. Cristo está ordenando que todos os homens se arrependam e creiam, e os apóstolos fazem a mesma coisa. Mas ambos os mandamentos estão no tempo presente. Na língua grega, isso indica continuidade. Algo que progride, que continua.

Frequentemente, quando conversamos com as pessoas sobre a fé que elas professam, elas dizem algo assim: "Ah, sim, eu me arrependi". E apontam para um dia lá no passado, dizendo: "Sim, eu cri". Eles vão apontar para este dia, lá atrás. Agora, será verdade que quando nós ouvimos o evangelho tem que haver um momento em nossa história no qual nos arrependemos e cremos, e quando isto acontece, nós somos salvos? Mas eis o que você precisa aprender. A evidência de que você se arrependeu uma vez lá atrás é que você continua se arrependendo hoje. A evidência de que um dia você creu para a salvação, é que você continua crendo hoje, e continua crendo e se arrependendo todos os dias da sua vida.

Tanto arrependimento e fé não se originam em você. Eles têm Deus como origem. É através da obra regeneradora do Espírito que um homem vem a se arrepender e crer. E o mesmo Deus que iniciou este arrependimento e fé – o que Paulo diz a respeito dele? "Eu estou convencido, persuadido, de que aquele que começou a boa obra em vós há de completá-la". Aquele que dá início ao arrependimento e fé mantém o arrependimento e a fé. Não somente isso. Você já ouviu a palavra santificação. Mas frequentemente usamos essa palavra somente relacionada a questões como

Nossa resposta ao chamado do evangelho: Arrependimento e Fé

santidade, pureza ou amor. Mas santificação aplica-se a todas as virtudes cristãs. Arrependimento e fé são virtudes cristãs. Elas também estão sujeitas à santificação. O que eu quero dizer com isso? É mais ou menos assim. Um homem perdido, não convertido, está andando pelo mundo. Ele não crê e não se arrepende. Mas um dia ele ouve o evangelho e vê Deus como ele nunca havia visto antes, como santo e justo. Ele vê a si mesmo como ele nunca se viu antes. Como um pecador radicalmente depravado e condenado. E isso o leva a se arrepender. Mas este arrependimento não é para a morte. Ele não se sente simplesmente mal, ele não se retira, simplesmente. Por quê? Porque com a revelação da pessoa do Pai, ele também vê a Cristo, e a graça de Deus revelada nele. Então, o que ele faz? Ele crê, e confia. E à medida que crescemos na vida, vemos mais da santidade de Deus, mais do nosso pecado, da nossa incapacidade. E nosso arrependimento vai se tornando mais profundo, e ao mesmo tempo vemos mais da graça de Deus na pessoa de Jesus. E a nossa fé se torna mais e mais direcionada a Cristo. Então, no final da vida deste homem, ele vê mais do seu pecado do que ele jamais viu, ele se arrepende mais do que jamais se arrependeu e é mais alegre do que jamais foi, porque com o revelar cada vez maior do seu próprio pecado, aumenta a revelação da graça de Deus em Cristo. Então, no fim, ele se arrepende mais e ainda assim é mais santo e mais alegre e jubiloso. Uma grande transição aconteceu. Quando ele creu e se arrependeu pela primeira vez, diria coisas do tipo: "Jesus é tudo", mas ele não entendia o que estava dizendo. Mas depois de andar com Cristo por 50 anos, quando diz que Jesus é tudo, ele entende isso de uma forma totalmente diferente. E uma transição aconteceu. A sua alegria não é mais baseada na sua performance, mas sua alegria é posta na perfeita obra de Jesus. Ele aprendeu que não há esperança em si mesmo. Ele não está deprimido, porque na sua velhice, ele parou de olhar para si, e olha apenas para Cristo, e Cristo recebe toda a glória. É por isso que os puritanos diziam que, para cada vez que você olhar para seu próprio coração, deve olhar dez vezes para Cristo.

Eu gostaria que olhássemos por uns instantes para a doutrina do arrependimento.

> Enquanto isso, Saulo ainda respirava ameaças de morte contra os discípulos do Senhor. Dirigindo-se ao sumo sacerdote, pediu-lhe cartas para as sinagogas de Damasco, de maneira que, caso encontrasse ali homens ou mulheres que pertencessem ao Caminho, pudesse levá-los presos para Jerusalém. Em sua viagem, quando se aproximava de Damasco, de repente brilhou ao seu redor uma luz vinda do céu. Ele caiu por terra e ouviu uma voz que lhe dizia: "Saulo, Saulo, por que você me persegue?". Saulo perguntou: "Quem és tu, Senhor?". Ele respondeu: "Eu sou Jesus, a quem você persegue. Levante-se, entre na cidade; alguém lhe dirá o que você deve fazer". Os homens que viajavam com Saulo pararam emudecidos; ouviam a voz, mas não viam ninguém. Saulo levantou-se do chão e, abrindo os olhos, não conseguia ver nada. E eles o levaram pela mão até Damasco. Por três dias ele esteve cego, não comeu nem bebeu (Atos 9:1-9).

Para mim, essa é a maior ilustração da doutrina do arrependimento que já encontrei na Bíblia, e quero usar essa passagem para ensinar algo sobre arrependimento. A maioria dos acadêmicos concordam que arrependimento representa uma mudança de mente. Para nós que vivemos no ocidente, nossa ideia de mente ou pensamento é muito superficial. O fato de alguém mudar sua opinião não nos diz muita coisa. Mas quando se fala de mudança de mente nas Escrituras, refere-se ao centro controlador de tudo o que você é. É o centro controlador do seu intelecto, da sua vontade, das suas emoções. É por isso que a fé evangélica que não passa pela mente é totalmente antibíblica.

Nossa resposta ao chamado do evangelho: Arrependimento e Fé   **87**

Se a mente é o centro controlador de tudo o que você é, se essa mente muda, todo o restante de você vai mudar com ela. Por exemplo, por que você está lendo este livro? Porque você não pensa que o livro vai entrar em combustão em suas mãos. Mas, se você acreditasse que isso poderia acontecer, suas emoções e sua vontade seriam afetadas. Tudo sobre você mudaria.

Vamos olhar para a mente de Paulo. Ele seguia pelo caminho para Damasco. Em que ele estava pensando? Ele pensava que Jesus era o maior falso profeta que já se levantara em Israel, que ele era digno de ser crucificado, era um blasfemo, um inimigo de Deus e estava em aliança com Satanás. O que Paulo cria acerca dos cristãos? Que eles eram a seita mais perigosa do planeta e que tinham de ser erradicados, ou lançados na prisão, ou apedrejados como Estêvão. É isso o que ele pensava dos cristãos, e os seus pensamentos os levaram às suas ações. Ele saiu para matá-los, prendê-los e argumentar contra o nome de Jesus, até blasfemando contra ele.

O que aconteceu? Ele teve um encontro com o Senhor ressurreto. Não há como eu comunicar de modo claro quão radical foi este encontro. Imagine que você acorda numa manhã e tudo o que você já creu sobre a realidade está errado. A textura da criação desde o seu mais íntimo, está tudo diferente do que você imaginava. Você nem é um ser humano. Você é simplesmente um ser imaginário criado pelo pensamento de outro. Não há mundo. Tudo é falso. Tudo está de cabeça para baixo. Toda a sua existência foi uma grande mentira, e você estava errado sobre absolutamente tudo em sua vida. Quando Paulo teve um encontro com Cristo, toda a sua realidade foi desintegrada.

Ele achava que Jesus era o maior falso profeta que já havia surgido em Israel, mas então ele descobre que ele estava perseguindo o próprio Filho de Deus. Ele achava que estava protegendo a ideia do Messias, que estava lutando em prol do

Messias, que era um amigo de Deus, mas na verdade percebeu que ele era o pior inimigo de Deus. Ele achou que estava matando uma seita a fim de proteger o povo de Deus, para descobrir que ele estava matando o povo de Deus.

A mente dele mudou. E o que aconteceu? Você conhece o resto da história. Paulo começou a pregar o Jesus a quem ele perseguia. Ele se tornou o servo mais devoto que nós já conhecemos. E perdeu absolutamente tudo para morrer como mártir. Ele verdadeiramente se arrependeu.

Então, você se pergunta como isso se aplica a uma pessoa hoje em dia. Você é um homem de negócios. Desde pequeno, você era bom com números. Você economizava dinheiro, tinha essa habilidade. E, com o tempo, o dinheiro tornou-se tudo para você. Você achava que isso era a coisa mais importante da vida, assim como sua casa, seus carros, sua casa na praia, o temor das pessoas, o respeito e o seu poder. Essa era a sua realidade. Então você se encontra com Jesus. E você percebe que toda a sua vida é perda. Tudo pelo qual você viveu estava errado. E você é a pessoa mais tola do planeta terra. E, sabendo disso, você se arrepende, livra-se de tudo isso e passa a servir a Jesus.

Você é um jovem e é vaidoso. Desde que era pequeno todo mundo falava de quão bonito você era, ou quanto você era gracioso, ou quão atlético. E você viveu toda a sua vida para si mesmo. Você olha no espelho o tempo todo, porque este é seu Deus. Importa-se com o modo como se veste, como aparenta aos outros, usando roupas que exaltam seu corpo maravilhoso, com camisetas que mostram cada um dos seus músculos. Você não consegue sequer passar pelo vidro de um carro sem dar uma olhadinha. E todo mundo quer estar ao seu lado. Mas aí, um dia você tem um encontro com Jesus e percebe que você é uma imagem feia e distorcida daquilo que deveria ser e que, em comparação com a glória dele, sua beleza é feia e sua força não é nada. Você percebe

Nossa resposta ao chamado do evangelho: Arrependimento e Fé   **89**

que um pequeno verme pode entrar no seu corpo e, em 24 horas, você estará paralisado, acamado ou morto – veja como você é poderoso! Então você diz: "Senhor, eu sou um tolo! Perdoe-me!". E o que acontece? Você começa a viver à luz desta verdade.

Isso não significa que o homem de negócios vende tudo o que ele tem e vai viver como um ermitão. Isso não significa que a pessoa bonita vai se tornar feia – já tem muita gente feia como eu no mundo. Mas isso significa que agora tudo deve estar submetido ao Senhor Jesus Cristo. Embora esta não seja uma definição teológica de arrependimento, isso é o que o arrependimento significa.

Lembre-se de que o arrependimento está sujeito à santificação. Paulo realmente se arrependeu, mas não pense que Paulo é um semideus. Tenho certeza que quando ele era mais novo na fé, ele olhou para trás, para sua vida, e foi tentado pelas coisas que perdeu. Alguns de vocês podem ficar muito irados ao ler algo assim, mas Paulo provavelmente concordaria com o que eu estou dizendo. Ele era apenas um homem. Da mesma forma, o homem de negócios pode fazer uma mudança radical na sua vida, mas isso não significa que ele não terá lutas constantes o tempo todo e, às vezes, ele vai dar quatro passos pra frente e dois pra trás. Às vezes, vai dar um passo pra frente e três passos pra trás. E, às vezes, dez pra frente.

Eu moro nas montanhas. Se você está no vale e subir até o topo da montanha, a estrada não vai sempre para cima. Ela sobe um pouco, depois desce um pouco, depois sobe um pouco mais. E vai neste sobe e desce até chegar no topo da montanha. Então, você pode estar descendo e ter a impressão de que não progrediu nada, mas se você observar todo o caminho da vida cristã, apesar de haver descidas e subidas, no decorrer da sua vida você está subindo, porque aquele que começou a boa obra em vós há de completá-la.

A sua salvação não é sobre você. Se você não percebeu isso até agora, eu preciso dizer-lhe. Você não é o centro do universo. Até

90 O evangelho de Deus & O evangelho do homem

a sua salvação não foi primariamente por sua causa. Não é primariamente para você. É primariamente para Deus, para demonstrar o seu poder, para aumentar sua reputação, para que mais louvor seja dado a ele. É por isso que ele não deixa a salvação falhar.

Lembra de quando Israel saiu do Egito e cometeu pecado terrível contra Deus? Então Deus testou a Moisés, dizendo: "Moisés, saia da frente. Eu vou matá-los e vou fazer um novo povo a partir de você". Então você pensa que todo o Israel estava nas mãos de Moisés. E isso é verdade. Mas Moisés estava nas mãos de Deus. E qual foi o argumento de Moisés? "Senhor, tu não podes matá-los", e por quê? "Porque todos os teus inimigos dirão que, embora foste forte o suficiente para tirá-los do Egito, não o foste forte para conduzi-los à terra da promessa. A tua reputação está em jogo". É a mesma coisa com cada um de vocês que é verdadeiramente filho de Deus. Aquele que começou a boa obra em você vai terminá-la, porque isso tem a ver com a manifestação do poder de Deus para salvar o insalvável, para fazer o impossível.

Agora vamos olhar para a fé. Normalmente, João 3:16 é o primeiro versículo bíblico que as pessoas memorizam, mas muita gente entende este texto errado. "Porque Deus amou o mundo de tal maneira que deu seu filho unigênito para que todo aquele que nele crê não pereça, mas tenha a vida eterna". Muitas pessoas pensam que isso significa que Deus amou tanto o mundo, mas não é isso o que significa. Isso significa que essa é a maneira com a qual Deus revelou seu amor ao mundo. Então, o texto vai dizer como Deus mostrou ao mundo seu amor. Ele deu seu único filho em uma cruz no calvário.

No texto grego, "todo aquele que nele crê" é um particípio. Significa "para que todo aquele que é crente nele não pereça, mas tenha vida eterna". Desta forma, Deus mostrou amor ao mundo. Ele deu seu único filho para que todo aquele que está crendo nele não pereça, mas tenha vida eterna. Aqui é a questão: você é aquele

Nossa resposta ao chamado do evangelho: Arrependimento e Fé **91**

que está crendo nele? Você começou a crer? Você continua a crer? E você vai continuar crendo?

Para saber o que eu quero dizer com crer e o que é fé, precisamos ir ao livro de Hebreus. Isso não vai ser importante apenas quanto a fé concernente à salvação, mas a fé na vida cristã. "Ora, a fé é o firme fundamento das coisas que se esperam, e a prova das coisas que se não veem" (Hebreus 11:1). A fé é a prova de coisas que eu nunca vi. O que é algo que eu nunca vi? Eu nunca vi um homem voar, eu nunca vi um homem pular de um prédio e voar, mas eu tenho a convicção de que isso pode acontecer. Sabe o que eu espero fazer um dia? Voar. Eu adoraria voar. Eu estou falando de pular de um prédio e voar mesmo. Sabe o que mais? Eu tenho a certeza de que eu posso fazê-lo. O que acabei de dizer qualifica isto? Eu nunca vi um homem voar, mas eu acho que ele pode, e tenho fé que se eu pular de um prédio como Peter Pan eu vou começar a voar. Isso é fé? Você vai dizer que não, claro que isso não é a fé da qual o texto fala.

Escute o que eu vou dizer. Isso é fé, sim. Pelo menos de acordo com muitos dos pregadores que nós ouvimos hoje em dia. Isso é exatamente o que os pregadores dizem hoje. Eu não quero machucar ninguém, muito menos fazer gozação, mas, às vezes, isso é necessário. Até os pregadores do Antigo Testamento, às vezes, usavam sátira. Como Elias, dizendo: "Talvez o seu deus esteja dormindo"?

Isso é o que eu quero que você veja a respeito deste texto. É tolice, a não ser que você entenda: Como eu posso ter convicção de que algo que eu nunca vi existe? Só há uma maneira: se Deus revelou na sua Palavra. Como é que eu posso ter convicção de coisas que eu espero? Apenas se Deus prometeu na sua Palavra. Deus nunca prometeu que eu poderia pular de um prédio e voar. Sinto muito, ele nunca prometeu isso. Então, se eu tenho certeza sobre isso, e tenho convicção sobre isso, não é fé. Sabe o que é? Quando a gente fala sobre fé, a fé é como um lado da moeda. O outro lado é presunção.

Descrença é quando eu não acredito naquilo que Deus prometeu na sua Palavra. Mas presunção, que também é um pecado, é quando eu creio em algo que Deus nunca prometeu, e é o que muita gente está fazendo hoje, especialmente nestas igrejas de prosperidade. Eu não sei como é no Brasil, mas nos Estados Unidos a entrada e saída das pessoas nestas igrejas é incrível, está sempre mudando o público. Por quê? Porque os líderes estão prometendo coisas que Deus nunca prometeu, e quando estas promessas não se cumprem, as pessoas ficam desiludidas e saem. E o que é pior é que elas saem acreditando que todo o cristianismo é uma mentira. Você percebe como isso é perigoso?

O que significa crer? Significa confiar no que Deus prometeu acerca do seu filho. Eu quero lhe dar uma ilustração com relação a isso.

> E não enfraquecendo na fé, não atentou para o seu próprio corpo já amortecido, pois era já de quase cem anos, nem tampouco para o amortecimento do ventre de Sara. E não duvidou da promessa de Deus por incredulidade, mas foi fortificado na fé, dando glória a Deus, e estando certíssimo de que o que ele tinha prometido também era poderoso para fazer. Assim, isso lhe foi também imputado como justiça (Romanos 4:19-22).

Abraão, em todas as Escrituras, é conhecido como um exemplo de fé. Quando precisam de um exemplo de um homem de fé, Abraão é este exemplo. Então ele é um exemplo interessante para observarmos. O que o texto diz? Abraão olhou para o seu próprio corpo, depois olhou para o corpo de sua esposa, e pensou que ter um filho era absolutamente impossível.

Você ouve o evangelho de Jesus, ouve sobre a santidade de Deus, vê o seu pecado e chega à conclusão de que a sua salvação é absolutamente impossível, que você não pode se salvar, que as

Nossa resposta ao chamado do evangelho: Arrependimento e Fé

suas obras não vão te ajudar, que você está perdido e não há nada que possa ser feito. Então, exatamente como Abraão, você está vazio de toda esperança humana.

Então vem o versículo 20, onde diz que ele não duvidou da promessa de Deus por incredulidade, mas pela fé se fortaleceu dando glória a Deus. Ele olhou para si mesmo e não encontrou nada. Ele voltou-se para a imutável promessa de Deus e encontrou esperança. Ele creu. Mas veja o que mais diz. Diz que ele estava certíssimo de que o que ele tinha prometido também era poderoso para fazer. Como você sabe se tem fé salvadora? Você está cheio de certeza, completamente convicto, de que as promessas em relação ao Filho são verdadeiras, que aquele que crê no Filho tem vida eterna? E você tem a certeza de que tem a vida eterna? Você está colocando toda a sua esperança no Filho? Você não mais se gloria na carne? Você não tem mais nenhuma esperança em algo humano? Você não tem nenhuma esperança em algo que seja eclesiástico, nenhuma esperança na igreja, nenhuma esperança no pregador, nenhuma esperança no batismo, nenhuma esperança em nada, a não ser que Jesus Cristo derramou seu sangue pela sua alma?

Eu gostaria de ter um pouco mais de espaço para falar sobre a doutrina da revelação, porque uma das coisas que a mente secular nos critica, e é por causa de alguns filósofos mais antigos. Eles dizem que fé é um salto no escuro. Você crê e se torna real. Você só dá um salto, sem qualquer certeza. Alguns ensinadores da Bíblia supostamente dizem a mesma coisa. Deus não está nos chamando para crer sem qualquer motivo. Jesus nunca falou: "simplesmente creia". Fé sempre tem que ser baseada em revelação. E onde é que nós temos a revelação que é certa, inerrante e imutável? Não no seu pastor favorito, mas na Palavra de Deus.

Mas como sabemos se esse livro é verdadeiro? Como sabemos que Jesus ressurgiu dentre os mortos? Eu poderia trazer todas as evidências legais e argumentos históricos com relação à ressurreição. Eu poderia fazer o mesmo com relação às Escrituras. Mas não responde uma pergunta importantíssima.

Vamos para uma tribo nas florestas do Peru. Uma pessoa que mal pode ler. Ele não sabe nada sobre argumentos lógicos, ele não sabe nada sobre evidência histórico-jurídica. Ele não sabe nem onde Jerusalém fica. Mas um missionário chega naquela tribo e começa a proclamar o evangelho. E aquele homem tem seu coração capturado. Ele sabe que a mensagem é verdadeira. Ele crê na ressurreição. Ele sabe, tem certeza que seus pecados foram embora. Ele está cheio de alegria. E quando toda a tribo se volta contra ele para matá-lo, ele não retrocede. "Jesus é meu Senhor, é meu Salvador". Como isso acontece? É uma pergunta importante.

Será que ele é uma pessoa pulando do prédio, tentando voar? De onde isso vêm? Da obra regeneradora e iluminadora do Espírito Santo de Deus, quando o evangelho é pregado, porque Deus decretou salvar pessoas de toda tribo, língua e nação, e fazer isso por intermédio da pregação do evangelho. E quando o evangelho foi pregado àquele homem, o Espírito do Deus vivo o fez também vivo, e mudou seu coração depravado, tirou o coração de pedra e colocou um coração de carne com novos desejos justos. O Espírito de Deus iluminou aquele coração. E quando ele olhou para Jesus, com aqueles novos desejos santos, ele foi irresistivelmente atraído para Cristo. Isso é uma realidade na sua vida? Ou você simplesmente tomou uma decisão? Ou você simplesmente fez uma oração lá atrás? Ou será que você simplesmente veio à frente quando o pastor chamou? Ou você simplesmente passou a fazer parte de uma igreja? É isso o que realmente acontece com todo aquele que crê.

Capítulo 7

Um teste bíblico para saber se você está na fé

Neste capítulo, vamos falar sobre a certeza da salvação. Como é que você pode saber que é verdadeiramente um cristão? Isso é muito importante hoje, porque, antes de tudo, há um evangelismo superficial muito comum que leva muitas pessoas a pensarem que são cristãs, quando não são. Mesmo entre pessoas sinceras, é muito fácil ser enganado. Há outro motivo pelo qual este assunto é importante, e é que, às vezes, crentes genuínos duvidam de sua salvação. Sim, aqueles que são verdadeiramente convertidos podem entrar em períodos de grande dúvida. Nestes momentos, nós precisamos de mais que mera emoção para nos sustentar. Nós precisamos da Palavra de Deus. A maneira primordial com a qual Deus nos dá certeza é por intermédio do Espírito Santo. No entanto, o Espirito Santo usa a Palavra de Deus para nos dar essa certeza.

Se você olhar para 1João 5:13, João vai explicar o motivo de ele ter escrito seu livro: "Escrevi-lhes estas coisas, a vocês que creem no nome do Filho de Deus, para que saibam que têm a vida eterna". Veja bem atentamente o que ele está dizendo. A carta que ele escreveu para aqueles que criam no nome de

Deus tinha o propósito de fazê-los saber que eles tinham a vida eterna. Quando observamos 1João, vemos uma série de testes pelos quais podemos examinar nossas próprias vidas, para ver se estamos na fé.

Vamos olhar para algumas coisas que frequentemente são praticadas, mesmo não sendo bíblicas. Talvez alguém se aproxime de seu pastor duvidando de sua salvação, dizendo para ele que não sabe se é salvo. O pastor responde, então, questionando se houve um momento na vida daquele crente em que ele orou e pediu para que Jesus o salvasse. Se a pessoa responder afirmativamente, então ele vai questionar se aquela oração foi realmente sincera. Se a resposta for novamente positiva, muito frequentemente o pastor vai dizer que aquele irmão é verdadeiramente salvo e que todas as dúvidas são apenas tormento do diabo. É certo que poderia realmente ser Satanás atormentando aquele crente, mas poderia ser também um tormento que provém de Deus.

Nós colocamos tanta ênfase em uma decisão, que não percebemos que esta não é a ênfase do Novo Testamento. A evidência de que uma pessoa é verdadeiramente convertida não é apenas que um dia ela fez uma decisão por Cristo, mas que ela começou a dar frutos, andar com Cristo e crescer em Cristo. A evidência da justificação é a santificação. Aquele que começou a boa obra em vós, há de completá-la.

O que vamos fazer aqui é olhar para 1João e procurar alguns destes testes para a segurança da salvação, e eu gostaria que você comparasse alguns destes textos com a sua vida. Eu oro para que o Espírito Santo use a Palavra de Deus em sua vida, para dar-lhe a certeza bíblica da sua salvação ou para mostrar-lhe que você não é verdadeiramente convertido. E, se você se encontrar assim ao fim da leitura, então busque o Senhor, creia em Cristo, arrependa-se de seus pecados e creia no evangelho.

O verdadeiro cristão anda na luz

> Esta é a mensagem que dele ouvimos e transmitimos a vocês: Deus é luz; nele não há treva alguma. Se afirmamos que temos comunhão com ele, mas andamos nas trevas, mentimos e não praticamos a verdade. Se, porém, andamos na luz, como ele está na luz, temos comunhão uns com os outros, e o sangue de Jesus, seu Filho, nos purifica de todo pecado (1João 1:5-7).

Quando você pensa que Deus é luz, você pensa consigo mesmo que isso está relacionado à sua santidade. É verdade que este conceito se encontra aqui e que Deus, de fato, é santo, mas precisamos entender o contexto desta declaração. Ao ler todo o livro, percebemos que falsos mestres haviam chegado na igreja e que, provavelmente, deram início a uma seita chamada de gnosticismo. O que eles ensinavam? Eles diziam que Deus era trevas, que ele estava escondido, que nós não poderíamos conhecê-lo nem saber a sua vontade, a menos que fôssemos superespirituais, assim como estes falsos profetas. Então, João chega diante deste ensino e diz que Deus é luz; que Deus nos diz quem ele é e nos deixa clara qual a sua vontade. Ele revelou isso a todos nós.

Desta forma, se nós dissermos que temos comunhão com Deus, se dissermos que somos cristãos, e ainda assim andarmos nas trevas, mentimos ao dizer que somos cristãos e não estamos praticando a verdade.

O que significa, então, andar nas trevas? Antes de tudo, precisamos observar a palavra "andar". É a palavra grega *peripateo*, que significa andar ao redor. Diz respeito a um estilo de vida. Não apenas a um momento na sua vida, não só a uma área da sua vida, mas ao seu estilo de vida. O que significa, então, andar nas trevas? Seria andar de tal forma que contradiz o que Deus nos fala sobre si mesmo e a vontade que ele revelou a nós (1Tessalonicenses 4:3).

98 O evangelho de Deus & O evangelho do homem

Vamos supor que você realmente não goste de mim e quer provar para todo mundo que eu sou um falso profeta. Você vai com uma câmera até um culto onde eu esteja pregando e se coloca a me seguir, fotografando tudo. Um dia, eu saio de minha casa atrasado para chegar ao escritório, quando um gato passa na minha frente, e eu chuto o gato. Você tira uma foto disto no momento em que acontece, capturando minha expressão de ira e o gato voando no ar. Então, você vai para a próxima conferência onde eu falaria e põe minha foto, dizendo: "Olhem só, ele não é um cristão! Ele está andando nas trevas!". No entanto, isso não é muito preciso. Aquilo foi um momento na minha vida. Não é isso o que "andar" significa, em 1João. Mas, se você pegasse uma câmera de vídeo e filmasse minha vida por meses, talvez um ano inteiro, isso daria uma descrição mais acurada de onde eu estou na vida cristã, uma vez que você veria meu estilo de vida. Às vezes você veria pecado, mas também veria arrependimento; veria alguém pedindo perdão, e voltando a errar em outro momento. Andar nas trevas, portanto, significa viver um estilo de vida que contradiz o que Deus disse de si mesmo, e contradiz a vontade de Deus, que ele mesmo revelou a nós.

Da mesma forma, o que significa andar na luz? Significa viver de tal forma que nos conformamos à vontade de Deus. Se tomássemos um descrente, um genuíno ímpio, e observássemos sua vida, a sua vida contradiria tudo o que Deus nos diz. Mas, se nós tomássemos a sua vida e comparássemos com a do descrente, será que veríamos alguma diferença? Eu não estou falando apenas do domingo ou de uma parte da sua vida. Será que nós veríamos um estilo de vida que era muito diferente daquele descrente? Se você responder afirmativamente, esta é uma boa evidência para a certeza da salvação. Se você não vê muita diferença, se a sua vida não está conformada à vontade de Deus e contradiz o que conhecemos a respeito dele, então seria muito perigoso para você manter-se com este livro nas mãos, cheio de certeza da salvação.

O verdadeiro cristão reconhece o pecado na sua vida

> Se afirmarmos que estamos sem pecado, enganamo-nos a nós mesmos, e a verdade não está em nós. Se confessarmos os nossos pecados, ele é fiel e justo para perdoar os nossos pecados e nos purificar de toda injustiça. Se afirmarmos que não temos cometido pecado, fazemos de Deus um mentiroso, e a sua palavra não está em nós (1João 1:8-10).

A segunda evidência de que somos realmente salvos por Deus é quando reconhecemos o pecado em nossas vidas. O verdadeiro cristão é quebrantado pelo seu pecado, e isto o conduz à confissão.

Deus não é sábio? As Escrituras não estão cheias de sabedoria? Você lê o primeiro teste sobre andar na luz, e o cristão genuíno logo pensa: "Bem, eu ando na luz de vez em quando, e eu queria andar mais na luz, mas eu falho constantemente". E o cristão pode encontrar uma falsa condenação, porque acha que Deus está falando de um tipo de perfeição total, sem qualquer pecado. No entanto, Deus imediatamente, em sua Palavra, corrige esta ideia falsa. Uma grande evidência de que você é cristão não é que você viva sem pecado, mas que, quando você peca, isso quebra seu coração e o conduz ao arrependimento e confissão.

O texto de 1João está condenando a autojustiça, a ideia de que somos pessoas boas que vão para o céu porque fazem coisas boas e que, por isso, Deus vai nos aceitar. Estas perspectivas contradizem completamente as Escrituras. O cristão genuíno reconhece que todas as suas boas obras são como trapos de imundícia e que mesmo tendo sido salvo por Deus, e mesmo sendo modificado por Deus, ele não está livre de pecado – e isso pesa em seu coração.

É por isso que Jesus disse que são bem-aventurados os que choram. É por isso que Deus fala do homem que é contrito em seu espírito. Não é o homem perfeito que é abençoado por Deus, mas sim o homem que olha para a Palavra de Deus e treme. A pergunta que eu preciso fazer é: Quão sensível ao pecado você é?

Eu me surpreendo, de verdade. Eu uso minha conta no twitter para postar versículos bíblicos e verdades doutrinárias, mas não posso clicar nas fotos das contas dos meus seguidores, porque se eu faço isso, aparece a conta de alguém que está dizendo repetidamente que ama a Jesus de todo o seu coração, mas que usa uma foto que quase não tem roupa.

A vida de um cristão genuíno é marcada por confissão. Quantas vezes eu tive de chegar para minha esposa e dizer para ela que eu fui impaciente e negligente, pedindo perdão. Muitas vezes até para meus pequenos filhos: "Me perdoe, filho. Eu tomei aquela decisão muito rapidamente, eu não agi com sabedoria. Perdoe-me". Esta é a marca do crente. Esta é uma das dádivas mais bonitas que Deus nos deu, de chegarmos a alguém pedindo perdão. Não só a Deus, mas aos outros. É por isso que se alguém chegar a você pedindo perdão por algo, você nunca deve dizer "não se preocupe" ou "está tudo bem, esquece isso". Nunca diga algo assim. Você deve dizer sempre: "Eu te perdoo!". Nunca trate isso de forma leve, nunca.

Então, a primeira marca de um cristão é que ele anda em conformidade com aquilo que Deus revelou de si mesmo, ele anda em conformidade com a vontade de Deus. A segunda marca é que, quando ele se desvia da vontade de Deus, o Espírito do Deus vivo o convence do pecado e ele é trazido ao quebrantamento, à confissão. Às vezes, até o cristão vai ter o coração endurecido, e talvez Deus tenha que disciplinar o crente, e às vezes a disciplina vem através da igreja local, praticando

Um teste bíblico para saber se você está na fé   101

Mateus 18 de maneira bíblica, a fim de trazer o irmão desviado de volta para Deus. No entanto, se você é um crente, você será trazido à confissão.

O verdadeiro cristão ama os mandamentos de Deus

> Sabemos que o conhecemos, se obedecemos aos seus mandamentos. Aquele que diz: 'Eu o conheço', mas não obedece aos seus mandamentos, é mentiroso, e a verdade não está nele. Mas, se alguém obedece à sua palavra, nele verdadeiramente o amor de Deus está aperfeiçoado. Desta forma sabemos que estamos nele (1João 2:3-5).

Isso é amedrontador, e é por isso que precisamos entender bem o que está sendo dito aqui. Nós já sabemos que ele não está falando de obediência perfeita. Ele não está falando de uma perfeição livre de todo pecado. Se nós dizemos que guardamos os mandamentos de Deus perfeitamente, a verdade não está em nós; mas se nós não guardamos estes mandamentos, a verdade também não está em nós.

Se você vier a mim e disser que agora tem um novo relacionamento com Deus, sabe o que eu vou te perguntar? Se você tem um novo relacionamento com o pecado; porque se você tem um novo relacionamento com Deus, você tem de ter um relacionamento diferente com o pecado. Então, eu vou fazer outra pergunta. Se você tem um novo relacionamento com Deus, então você está tendo um novo relacionamento com a sua Palavra, com os seus mandamentos?

Deixe-me dar um exemplo. Imagine um descrente no carnaval. Ele está pensando nos mandamentos de Deus, preocupado com eles? Quando ele quebra um dos mandamentos, isso o leva à convicção de pecado? Não! Ele não tem nenhum relacionamento com os mandamentos de Deus. Mas quando você realmente se torna um crente, uma das primeiras coisas que se tornará preciosa a você é a Palavra de Deus, as Escrituras, e você começará um novo relacionamento com a Palavra de Deus. Você vai querer conhecer e obedecer a Palavra de Deus, e quando você não obedecer, vai ao arrependimento e à confissão.

Eu sou um pregador. É minha função estudar a Palavra de Deus, e é isso o que eu faço. Eu quero, porém, ser bem honesto com você. Há dias que eu acordo de manhã e eu não quero estudar. Eu estou cansado. Há momentos em que eu leio cinco capítulos e eu não me lembro nada que acabei de ler, e às vezes é tão frustrante. Às vezes eu me vejo tão fraco. Isso significa que eu não sou um cristão genuíno? Não, porque se eu não fosse crente, eu não estaria tão quebrantado com relação à minha fraqueza.

Eu não estou aqui para condenar você por algo que nem eu consigo viver completamente, mas eu quero que você veja a verdade. Eu fui um descrente, não me importava com a Palavra de Deus. Eu sou agora um crente e amo a Palavra de Deus, mas nem sempre eu ganho a batalha contra a minha carne. Eu não sou sempre forte. Às vezes eu fico desanimado, afinal de contas, a Bíblia é um livro grande, principalmente quando eu chego em Levítico. Eu sei que há verdade ali, mas eu sou cego. Mesmo assim, eu tenho um novo relacionamento com a Palavra.

Você tem esse relacionamento com a Escritura? Eu não estou falando de você ir à Bíblia procurando todo tipo de promessa de prosperidade. Eu estou falando sobre ir à Bíblia para encontrar a Deus. Quando minha esposa me manda uma carta de um lugar bem distante, o que eu tento encontrar naquela carta? Minha esposa e minhas crianças! É isto que eu

Um teste bíblico para saber se você está na fé **103**

estou procurando. Se eu estivesse procurando qualquer outra coisa, isso quebraria o coração deles. Fazer uma igreja crescer e construir uma igreja procurando outra coisa que não seja Deus é uma contradição. Ir para as Escrituras para encontrar qualquer outra coisa que não seja o nosso amado não é nem mesmo razoável. Você tem um novo relacionamento com a Palavra de Deus?

Alguns não possuem qualquer relacionamento, e isso é uma evidência de que eles não são convertidos. Alguns lutam bastante para amar as Escrituras, e isso pode significar falta de conversão, tanto quanto pode significar que você é um cristão genuíno que precisa de um empurrão. Ou talvez você esteja em uma igreja que não põe muita ênfase na Palavra de Deus. Talvez ela enfatize mais visões e profecias. Você tem de sair de lá e se juntar a um povo que ame a lei de Deus, porque o homem que medita de dia e de noite na lei de Deus é como uma árvore plantada junto a ribeiro de águas, que traz o fruto na estação e a sua folha não murcha.

Quando eu ouço um desses pregadores da prosperidade citando o salmo primeiro, como fiz acima, para justificar sua prosperidade, sabe o que eu digo para ele? "Você tem um problema!". Eles perguntam o que quero dizer, argumentando que são árvores frutíferas que dão frutos. "Este é o seu problema", respondo. "Árvores não comem seus próprios frutos, elas dão seus frutos para os outros".

Eu quero que você observe o relacionamento que existe entre o amor por Deus, o amor que vem de Deus e a Palavra de Deus. Se eu não tivesse visto minha esposa por três meses, e você chegasse na caixa de correio, e me dissesse que há uma carta da Charo, minha esposa, e eu dissesse: "É, coloca lá mesa, eu leio quando tiver tempo", você não ia começar a duvidar da sinceridade do meu relacionamento com ela? Eu duvidaria.

104 O evangelho de Deus & O evangelho do homem

O verdadeiro cristão anda como Jesus andou

aquele que afirma que permanece nele, deve andar como ele andou (1João 2:6).

Você pode ler este versículo e dizer: "Irmão Paul, se é assim, todos nós vamos para o inferno". Andar como Cristo andou? Deixe-me dar um exemplo. Eu fui criado em uma fazenda com gado. Nós tínhamos bois e cavalos. Meu pai era um homem muito grande e forte, e eu queria muito ser como ele. Nas manhãs, quando nevava, tínhamos de levar água para os cavalos, porque os lagos e as lagoas congelavam. Então, meu pai pegava um grande balde em cada mão e começava a andar pela neve, dando passos muito largos.

Eu, com apenas seis anos de idade, pegava um pequeno baldinho em cada uma das mãos, e queria ser igual ao meu pai. Quando eu tentava levar os baldes, só conseguia arrastá-los. E eu tentava colocar o meu pé onde meu pai tinha deixado a pegada dele, mas acabava parecendo uma aranha bêbada andando na neve. Se alguém me visse fazendo isso, daria risada, tiraria sarro de mim e diria: "Aquele menininho está tentando fazer uma coisa que ele não consegue fazer, ele parece um tolo, veja só ele caindo!". No entanto, ninguém poderia negar que eu estava tentando ser igualzinho ao meu pai. Será que alguém consegue ver isso em você? As pessoas que são mais próximas de você conseguem perceber que você está tentando imitar a Cristo?

Imitação é uma palavra muito importante. Às vezes eu sinto que esta palavra se perdeu. Alguns historiadores da igreja disseram o seguinte: muitos dos reformados colocaram tanta ênfase na doutrina, que se esqueceram da imitação. Existiram também outros grupos, como os anabatistas, que pensaram tanto sobre imitação, mas possuíam uma doutrina que não era sã, e isso tornou-se legalismo. Eu quero que você observe que nós precisamos ter a maior

Um teste bíblico para saber se você está na fé **105**

preocupação com a nossa doutrina, mas nós não podemos nos esquecer da imitação. Na verdade, os maiores teólogos que já viveram também estiveram entre os maiores imitadores de Cristo. Em anos recentes, tem havido um reavivamento quanto a ler os reformadores e os puritanos. Eles são os meus favoritos. Mas há um perigo, que nós peguemos seu conhecimento sem imitar sua piedade, sua vida devocional, sua vida de oração, a simplicidade de sua vida.

Um verdadeiro cristão quer ser igual a Jesus. Ele não quer ser como algum ator famoso, como algum atleta ímpio, como aquilo que as revistas seculares dizem que é o modelo que você deve imitar, mas como Jesus.

O verdadeiro cristão ama seu irmão

> Amados, não lhes escrevo um mandamento novo, mas um mandamento antigo, que vocês têm desde o princípio: a mensagem que ouviram. No entanto, eu lhes escrevo um mandamento novo, o qual é verdadeiro nele e em vocês, pois as trevas estão se dissipando e já brilha a verdadeira luz. Quem afirma estar na luz, mas odeia seu irmão, continua nas trevas. Quem ama seu irmão permanece na luz, e nele não há causa de tropeço (1João 2:7-9).

O texto soa um pouco confuso. João está escrevendo um mandamento novo ou um mandamento antigo? Ele responderia que está escrevendo um mandamento que é tanto antigo quanto novo. O que ele quer dizer? O mandamento para amar existe desde o princípio, então, é um mandamento antigo. No entanto, também é novo, no sentido de que quando Jesus veio, ele levou o mandamento do amor para outro nível. Ele mostrou um nível tão elevado de amor que é como se ele tivesse aberto uma nova categoria de amor, um novo mandamento.

106 O evangelho de Deus & O evangelho do homem

E qual é uma das grandes evidências de que você agora é cristão? João está falando sobre amor para com o nosso próximo. Ele não está necessariamente falando sobre amar o pobre, não está falando de amar outra pessoa de outro grupo étnico, embora nós devamos fazer ambas as coisas. A ideia aqui é de amor por outros cristãos, um desejo genuíno por comunhão com outros irmãos, verdadeiros sacrifícios de serviço para com outros irmãos.

Nós temos um ditado em inglês: "pássaros de uma mesma plumagem voam juntos". Com quem você anda? Se você é jovem, especialmente, com quem você gosta de andar? Você ama estar com aqueles que estão no mundo? Você gosta de fazer coisas que são mundanas? Se sim, isso demonstra que você é um deles. Ou você deseja estar com o povo de Deus, falando sobre as coisas de Deus? Está é a sua vida, amor para com seus irmãos e irmãs em Cristo?

Antes da minha conversão, eu costumava levantar peso em determinada academia. Do outro lado da rua, havia uma igreja. Na quarta-feira à noite, quando todos os santos iam para a igreja, eu abria a porta e as janelas da academia e deixava o aparelho de som tocando *Highway to Hell*, do AC/DC, o mais alto que eu pudesse. Eu não amava os crentes. Eu ria deles. Eu não tinha nada a ver com eles. Mas quando fui convertido, tudo o que eu queria era estar com o povo de Deus. Com quem você anda? Quem você ama? A quem você está servindo?

Há um texto importante em Mateus, que nos ensina não apenas sobre este assunto, mas que também traz lições importantes sobre hermenêutica e como estudar a Bíblia:

> Quando o Filho do homem vier em sua glória, com todos os anjos, assentar-se-á em seu trono na glória celestial. Todas as nações serão reunidas diante dele, e ele separará umas das outras como o pastor separa as ovelhas dos bodes. E colocará as ovelhas à sua direita e os bodes à sua esquerda. Então o Rei dirá

aos que estiverem à sua direita: 'Venham, benditos de meu Pai! Recebam como herança o Reino que lhes foi preparado desde a criação do mundo. Pois eu tive fome, e vocês me deram de comer; tive sede, e vocês me deram de beber; fui estrangeiro, e vocês me acolheram; necessitei de roupas, e vocês me vestiram; estive enfermo, e vocês cuidaram de mim; estive preso, e vocês me visitaram'. Então os justos lhe responderão: 'Senhor, quando te vimos com fome e te demos de comer, ou com sede e te demos de beber? Quando te vimos como estrangeiro e te acolhemos, ou necessitado de roupas e te vestimos? Quando te vimos enfermo ou preso e fomos te visitar?' O Rei responderá: 'Digo-lhes a verdade: o que vocês fizeram a algum dos meus menores irmãos, a mim o fizeram' (Mateus 25:31-40).

Muita gente lê este texto achando que está relacionado com abrir algum ministério de evangelismo prisional ou de ajuda aos pobres, ou que devemos doar roupas e agasalhos para outros. Sim, de fato devemos fazer tudo isso, mas não é sobre isso que este texto está falando. Jesus não está dizendo que ele era um assassino na prisão e que não foi visitado pela igreja. O que ele está dizendo?

Vamos supor que eu e você fossemos uma igreja subterrânea da igreja de Roma, e havia 50 de nós. Nos encontramos fora da cidade, na floresta, e temos uma reunião maravilhosa um dia. Cerca de 11 horas da noite nos despedimos e voltamos para Roma por caminhos distintos, para que ninguém nos veja juntos. Vamos supor que você chega em sua casa e vai para a cama. Cerca de 4 da manhã alguém bate em sua porta. Quando você abre, é um cristão que está muito temeroso. "Você tem de voltar para a floresta", ele diz. E continua: "dois de nossos irmãos, quando estavam voltando para Roma, foram capturados e lançados na prisão, e nós precisamos nos encontrar". Então você vai e encontra o mesmo grupo reunido lá. Um dos líderes, então, se levanta e diz o seguinte: "Vocês sabem que nossos irmãos foram lançados na prisão. Eles foram surrados, não têm roupa, nem comida, nem água". É assim que as prisões funcionavam antigamente. Se ninguém te trouxesse algo de fora, você morreria.

Na mesma hora, então, um jovem crente, cheio de zelo, levanta-se e diz: "Eu vou! Eu levo as coisas que eles precisam! Eu levo as coisas que eles precisam". Então um velho diácono se levanta e diz: "Filho, sente-se. Obrigado, mas você não entende. Quem for pra lá levando comida, roupa e curativos também tem de se identificar como cristão. Se você for, pode perder sua vida". O jovem responde: "Mas nós temos que fazer alguma coisa!". Então, de repente, quatro pessoas do grupo se levantam e dizem: "Estamos ouvindo isso que vocês estão dizendo e já basta. Vocês são todos loucos! Vocês vão levar coisas lá? Eu acho que este grupo está ficando muito radical. Vamos cair fora! Não vamos arriscar nossa vida por causa disso!". Então o velho diácono diz: "Eu sou um homem velho. Eu vou". Outro diácono se levanta: "Eu também vou, meu irmão". As outras pessoas então decidem voltar para suas casas, pegar comida, roupas e remédios, retornar para a reunião em determinada hora e permanecer em oração.

O que nós acabamos de ver nesta história? A divisão entre as ovelhas e os bodes, mesmo antes do dia do juízo. O que Jesus está dizendo não é que nós somos salvos pelo nosso amor pelos irmãos, mas que podemos dar evidência de nossa salvação pela forma como amamos o povo de Deus, mesmo se nos custar muito. Você ama o povo de Deus? Isso não significa simplesmente ir domingo à igreja para ouvir a mensagem, mas sim estar ativamente envolvido no serviço do povo de Deus. Mostre-me as suas cicatrizes. O que isso tem custado para você – amar o povo de Deus? Será que você poderia escrever uma lista, uma contabilidade de como você tem demonstrado amor para com o povo de Deus?

O verdadeiro cristão não ama o mundo

> Não amem o mundo nem o que nele há. Se alguém amar o mundo, o amor do Pai não está nele. Pois tudo o que há no mundo — a cobiça da carne, a cobiça dos olhos e a ostentação dos bens — não provém do Pai, mas do mundo (1João 2:15-16).

Uma das promessas da Nova Aliança, encontradas em Ezequiel, é que Deus vai nos lavar de toda a nossa impureza e de todos os nossos ídolos. Se você é um cristão, Deus constantemente vai atraí-lo para fora do mundo. Ele constantemente vai trazer você para junto dele. Em 1Tessalonicenses 2, Paulo fala daquele que nos chama para seu reino. Lá, ele usa o tempo presente, significando que Deus está continuamente nos chamando para sairmos do mundo e chegarmos mais profundamente na realidade do seu reino.

Será que existe alguma separação na sua vida? Você parece como o mundo, age como o mundo e ama as coisas que o mundo ama? Então você é do mundo. Será que Deus está trabalhando na sua vida para mostrar que este mundo é apodrecido, e Deus está puxando você para longe do mundo, instruindo-o, ensinando-o, disciplinando-o para que seja santo? Será que esse é você?

"Amei Jacó, mas odiei Esaú". O que isso significa? Significa que Deus odiou Esaú e amou Jacó. No entanto, veja a parte confusa. Quando eu olho para Esaú, eu vejo que Deus cumpriu cada promessa que ele tinha feito a Esaú. Na verdade, Esaú era tão rico que, quando Jacó voltou para a terra de Canaã, Esaú não precisava de nada que ele tinha. Então, como é que pode Deus ter demonstrado amor para com Jacó e mostrado ira e ódio para com Esaú? Eis como: ele deixou Esaú ser Esaú. Nós nunca vemos Deus intervindo na vida de Esaú para torná-lo santo. No entanto, Deus deu uma surra em Jacó em todos os dias da vida dele. Quando ele voltou para a terra prometida, estava mancando.

Se eu descrevesse a minha, seria assim: por trinta anos, Deus tem me instruído, tem me movido na sua providência e tem me disciplinado para que Paul Washer não seja mais Paul Washer, assim como para que Jacó não fosse mais Jacó. Se você é verdadeiramente cristão, Deus é seu dono, e ele tem zelo pelos seus. Ele não vai deixar você viver de qualquer maneira, senão conforme a vontade dele.

Eu era um caipira. Garotos caipiras da fazenda estão sempre sujos. Certo dia eu cheguei em casa, com nove anos de idade, depois de um dia inteiro no campo me sentindo como um homem, e minha mãe me mandou tomar banho. Eu respondi que não estava com muita vontade de tomar banho naquela noite. Ela me disse: "Você vai tomar banho agora!". Então eu entrei no banheiro. Garotos da fazenda às vezes nadam em lagos sujos, mas têm medo de água na banheira, às vezes. Então, eu peguei um pouquinho de água e joguei em mim. E peguei a toalha branca da minha mãe e a deixei bem marrom ao esfregá-la em mim. Tudo estava funcionando muito bem, até que minha mãe entrou no banheiro. Minha mãe tinha calos nas mãos que eram piores que os de qualquer homem. Ela me pegou, me esfregou e, quando saí da banheira, eu tinha a glória *Shekiná* brilhando em mim.

Eu quero que você pense em algo. Não é triste que o Deus que é pregado hoje não tem a autoridade que minha mãe tinha sobre mim? Ele é um Deus que quer que você aja de determinada forma, que se você não concordar ele não pode obrigá-lo a fazer. Ele pode sim! E ele vai fazer, sim! Aí você diz que ele não pode fazer nada, se você não abrir a porta do seu coração, mas ele vai chutar sua porta abaixo! Ele vai fazê-lo santo. Ele vai trabalhar em você. Ele é zeloso e ciumento. Agora, ele está fazendo isso em sua vida? Muitos jovens falam comigo em conferências e me trazem

Um teste bíblico para saber se você está na fé **111**

muita alegria, quando dizem algo como: "Eu não entendo, eu não consigo fazer o que eu fazia antes. E mesmo se eu tentar, eu sei que Deus vai me disciplinar. O que é isso?". E eu respondo: Isso é conversão. É verdadeiro cristianismo. Mas se você consegue correr que nem um louco na rua, você não é filho dele. Ele pode até deixá-lo correr um pouquinho para mostrar a você quão tolo você é, mas se você continuar correndo neste caminho e ele não intervier, você não é filho dele.

Então, pergunte-se a si mesmo: você é realmente filho de Deus? Será que há evidência de que você nasceu de novo? Se não, sonde seu coração, clame ao Senhor que ele te salve e te mude, para que você tenha a certeza da salvação. Arrependa-se do seu pecado e creia no evangelho.

Sua opinião é importante para nós.
Por gentileza, envie-nos seus comentários pelo e-mail:

editorial@hagnos.com.br

Visite nosso site:

www.hagnos.com.br